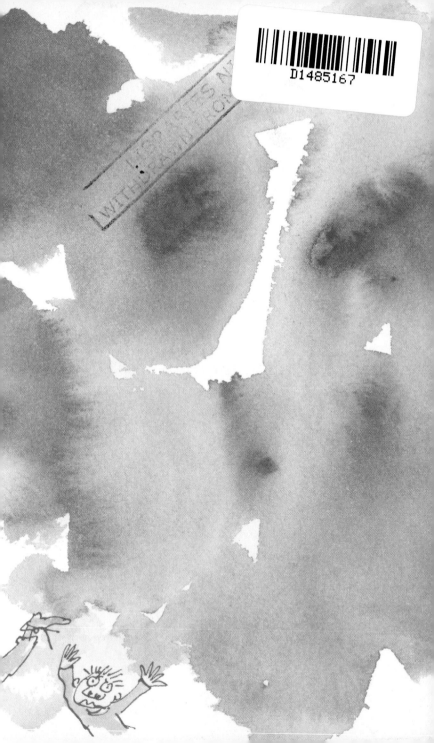

D1485167

Leabhar eile le David Walliams atá ar fáil i nGaeilge:

"*Cuireann na léaráidí spraíúla leis an scléip, agus taitneoidh an greann ainrialach agus na carachtair áiféiseacha go mór le léitheoirí óga.*"

INIS, irisleabhar Children's Books Ireland

David Walliams

Mr Lofa

Maisithe ag Quentin Blake

Máirín Ní Mhárta
a rinne an leagan Gaeilge

Futa Fata
An Spidéal

Foilsithe den chéad uair i 2009
ag HarperCollins *Children's Books* faoin teideal
Mr Stink
Téacs © David Walliams 2009
Léaráidí © Quentin Blake 2009
Dearbhaíonn David Walliams a cheart morálta bheith aitheanta
mar údar an tsaothair seo.
Dearbhaíonn Quentin Blake a cheart morálta bheith aitheanta
mar mhaisitheoir an tsaothair seo.

Leagan Gaeilge © Futa Fata 2018
An dara cló © Futa Fata 2019

Anú Design, Teamhair na Rí, a rinne dearadh ar an leagan Gaeilge

Tá Futa Fata buíoch d'Fhoras na Gaeilge faoin tacaíocht airgid.

An Chomhairle um Oideachas
Gaeltachta & Gaelscolaíochta

Tá Futa Fata buíoch d'An Chomhairle um
Oideachas Gaeltachta agus Gaelscolaíochta (COGG) a thacaigh
le leagan Gaeilge den leabhar seo a chur ar fáil.

Futa Fata,
An Spidéal,
Co. na Gaillimhe,
Éire
www.futafata.ie

ISBN: 978-1-910945-34-6

Do mo mhama Kathleen,
an duine is cineálta dar casadh orm riamh.

Buíochas

Arís is mór an onóir do mo chuid scríbhneoireachta go
bhfuil an leabhar seo maisithe go haoibhinn ag Quentin
Blake, agus tá mé faoi chomaoin aige. Tá sé fós ag dul díom
a chreidiúint gur chomhoibrigh mé leis, ó tharla gur laoch
mór é. I measc na ndaoine eile ar mhaith liom buíochas a
ghabháil leo tá Mario Santos agus Anne-Janine Murtagh
ag HarperCollins a chreidim ionam arís. Tá buíochas mór
ag dul do Nick Lake, m'eagarthóir, as mé a chur ag obair
go crua agus mé a thabhairt amach i gcomhair tae agus
cácaí. Tá sár-jabanna déanta freisin ag an gcóipeagarthóir
Alex Antscherl, dearthóir an chlúdaigh James Annal agus
dearthóir an téacs Elorine Grant. Buíochas freisin leis na
daoine ar fad ag HarperCollins a oibríonn go díograiseach
chun an leabhar a chur chun cinn agus a scaipeadh, Sam
White go háirithe. Is fear deas freisin é mo ghníomhaire
litríochta Paul Stevens ag Independent, agus dhéileáil sé
go hiontach leis na rudaí tábhachtacha ar fad a bhain le mo
chonradh agus nach raibh sé in acmhainn ag m'inchinn a
dhéanamh.

Ar deireadh thiar, ba mhaith liom mo bhuíochas a ghabháil
leis na daoine ar fad a scríobh chugam chun a rá liom gur
thaitin mo chéad leabhar, *The Boy in the Dress*, leo, go

háirithe na leanaí. Tógann sé mo chroí nuair a ghlacann duine am chun litir a scríobh agus spreag sé sin go mór mé nuair a bhí mé ag scríobh *Mr Lofa*. Tá súil agam nach ligfear síos sibh.

1

Coinnigh Greim ar do Shrón

Bhí Mr Lofa lofa. Bhí sé lofa bréan. Bréantachán lofa a bhí ann. Ba é an bréantachán ba bhréine é ar tháinig boladh lofa riamh uaidh.

Is é an boladh bréan an boladh is measa dá bhfuil ann. Níos measa ná drochbholadh nó fiú boladh lofa.

Ní ar Mr Lofa a bhí an locht go raibh boladh bréan uaidh. Tramp a bhí ann, tar éis an tsaoil. Ní raibh aon teach aige agus, mar sin, ní raibh aon deis aige é féin a ní i seomra folctha mar a dhéanfainnse nó mar a dhéanfá féin. Ba in olcas a chuaigh an boladh le himeacht ama.

Seo pictiúr de Mr Lofa.

Tá sé gléasta go snasta ina charbhat agus a sheaicéad bréidín. Ach ná bíodh dallamullóg ort. Tá sé bréan ach ní féidir a bhréantas a mheas ó bheith ag féachaint ar an bpictiúr seo. Is mór an trua nach féidir an boladh a fháil ón leathanach seo.

Ach dá bhféadfá, bheadh ort an leabhar a chur sa bhosca bruscair agus an bosca bruscair a chur sa talamh. Go domhain sa talamh.

Sin é a mhadra beag dubh in éineacht leis, an Bandiúc. Bhí boladh uaithi sin freisin ach ní raibh sí chomh bréan le Mr Lofa. Ní raibh rud ar bith chomh bréan leis siúd. Seachas a fhéasóg. Bhí a fhéasóg lán le hubh agus ispíní a bhí tite as a bhéal thar na blianta. Bhí boladh dá cuid féin ag an bhféasóg sin a bhí míle uair níos measa ná an boladh a bhí ó Mr Lofa féin.

Ní fios cárbh as ar tháinig Mr Lofa ná cá raibh a thriall. Lá amháin, tháinig Mr Lofa chuig an mbaile mór. Shuigh sé ar bhinse agus is ann a d'fhan sé. Ach bhí muintir an bhaile an-deas leis den chuid is mó. Ach ní dheachaigh siad an-ghar dó, mar gheall ar an mboladh bréan.

Chaithidís cúpla bonn airgid aige, ach níor stop aon duine chun labhairt leis.

Go dtí lá amháin, nuair a chuaigh cailín beag misniúil amháin chun cainte leis agus is ansin a thosaíonn an scéal seo.

"Haileo," arsa an cailín agus í ar crith le hamhras. Chloe an t-ainm a bhí uirthi. Ní raibh sí ach dhá bhliain déag d'aois agus níor labhair sí le tramp riamh roimhe sin. Bhí cosc curtha ag a máthair uirthi ó bheith ag labhairt le 'hainmhithe' dá leithéid. Ní raibh cead ag Chloe labhairt leis na páistí ó eastát tithíochta na comhairle áitiúla fiú. Ach mheas sí nárbh ainmhí Mr Lofa agus go raibh scéal suimiúil le hinsint ag an bhfear seo – agus b'in rud amháin a raibh Chloe an-tógtha leis, scéal maith.

Gach lá, d'fheiceadh sí é féin agus a mhadra ar an mbinse agus í ag dul thar bráid i gcarr galánta a tuismitheoirí, í ar a bealach chuig a scoil phríobháideach ardnósach. Lá gréine nó lá fuar feanntach agus sneachta ag titim, ba chuma - bhí

Mr Lofa ina shuí ar an mbinse, a mhadra beag lena thaobh.

Agus í ar a sáimhín só istigh sa charr compordach lena deirfiúr bheag nimhneach, Annabelle, d'fhéachadh Chloe amach ar an tramp agus í ag déanamh iontais de.

Bhí na céadta mílte ceist aici ina ceann. Cérbh é? Cén fáth a raibh sé ar na sráideanna? An raibh baile aige riamh? An raibh cairde aige? An raibh a fhios acu go raibh sé gan dídean?

Cá dtéadh sé faoi Nollaig? Dá mbeadh tú ag iarraidh litir a sheoladh chuige, cén seoladh poist a bhí aige? 'An binse, tá a fhios agat an ceann, taobh le stad an bhus'? Cén uair dheireanach a raibh folcadh aige? An é Mr Lofa a ainm ceart?

Thaitin sé go mór le Chloe bheith ag cumadh scéalta ina cloigeann féin agus ba mhinic léi scéalta a chumadh faoi Mr Lofa. Agus í ina suí aisti féin ina seomra, thagadh mórán eachtraí áiféiseacha isteach ina hintinn.

B'fhéidir go raibh Mr Lofa ina mhairneálach cróga tráth agus nach raibh saol ar an talamh tirim oiriúnach dó? Nó b'fhéidir gur amhránaí mór ceoldrámaíochta a bhí ann ach gur chaill sé a ghlór, oíche uafásach amháin agus é ar an stáitse i dTeach Ríoga na gCeoldrámaí i Londain? B'fhéidir gur chaill sé a mhisneach chomh maith lena ghlór? Nó b'fhéidir gur spiaire Rúiseach a bhí ann agus é ag coinneáil súil ar mhuintir an bhaile?

Ní raibh aithne dá laghad ag Chloe ar Mr Lofa, ach bhí rud amháin ar eolas aici. Nuair a stop sí chun cainte leis den chéad uair, ba ghéire *i bhfad* a bhí an nóta cúig euro a bhí ina lámh aici ag teastáil uaidh siúd ná a bhí uaithi féin.

Bhí cuma uaigneach air chomh maith, cuma an-uaigneach go deo, cosúil le fear nach raibh cara ar bith sa saol aige agus chuir sé sin as do

Chloe. Bhí cleachtadh aici siúd ar an uaigneas chomh maith.

Níor thaitin an scoil le Chloe. Chuir a máthair iallach uirthi dul chuig scoil ardnósach do chailíní agus ní raibh aon chairde aici ann. Níor thaitin an baile léi ach oiread. Ba chuma cá raibh sí, níor airigh sí compordach.

Ní hamháin sin, ach ba é an t-am de bhliain é ba mheasa le Chloe. An Nollaig. Is breá le daoine an Nollaig, go háirithe leanaí. Ach bhí an ghráin ag Chloe uirthi. Bhí an ghráin aici ar na maisiúcháin, na pléascóga, na carúil, na pióga, na cácaí, an easpa sneachta agus an dinnéar fada leadránach lena teaghlach agus, an rud ba mheasa ar fad, bhí an ghráin aici ar an gcur i gcéill go raibh sí sásta mar gheall gurb é an 25 Nollaig a bhí ann.

"Cad is féidir liom a dhéanamh duit, a chailín chóir?" arsa Mr Lofa. Bhí glór cineál ardnósach aige, agus caint a bhí i bhfad níos galánta ná mar a bheifeá ag súil leis i nglór a bhí níos ardnósaí ná mar a bheifeá ag súil leis.

Ó tharla nár stop aon duine le labhairt leis riamh cheana, bhí sé beagán amhrasach faoin gcailín beag beathaithe seo. Go tobann, bhí beagán faitís ar Chloe. B'fhéidir nár cheart di labhairt leis ar chor ar bith. Bhí sí ag smaoineamh ar an gcéad chomhrá seo le Mr Lofa le mí anuas. Ach ní mar seo a seo a shamhlaigh sí beag ná mór é.

Mar bharr ar an donas, bhí ar Chloe iarracht a dhéanamh gan anáil a tharraingt trína srón. Bhí an boladh ag cur as go mór di. Bhí sé ar nós rud éigin beo ag sleamhnú suas a polláirí agus ag dó a scornaí.

"Bhuel, uth, ní maith liom cur isteach ort, ach..."

"Sea?" arsa Mr Lofa, le beagán mífhoighne. Baineadh siar as Chloe. Cén deifir a bhí air? Ní chorraíonn sé as an áit seo. Ní hé go raibh coinne práinneach aige.

Ag an nóiméad sin, thosaigh an Bandiúc ag tafann uirthi agus bhí Chloe scanraithe.

Thug Mr Lofa faoi deara agus tharraing sé ar an seanrópa a bhí ceangailte don mhadra.

"Bhuel," arsa Chloe go neirbhíseach, "thug m'aintín cúig euro dom don Nollaig ach ní theastaíonn rud ar bith uaimse agus ba mhaith liom é a thabhairt duitse."

Tháinig meangadh ar éadan Mr Lofa agus

rinne Chloe meangadh í féin. Bhí an chuma air go raibh sé chun glacadh leis an airgead uaithi ach ansin d'fhéach sé síos ar an talamh.

"Go raibh maith míle agat as do chineáltas, ach ní féidir liom é a thógáil."

Bhí mearbhall ar Chloe. "Ach, cén fáth nach féidir?" ar sí.

"Níl ionat ach leanbh. Cúig euro? Tá an iomarca ann."

"Cheap mé-"

"Tá tú an-lách, ach faraor ní féidir liom glacadh leis. Cén aois thú ar aon nós? Deich mbliana?"

"DHÁ BHLIAIN DÉAG!" arsa Chloe os ard. Bhí sí beag dá haois ach mheas sí go raibh sí aibí ar go leor bealaí eile. "Beidh mé trí bliana déag ar an naoú lá d'Eanáir!"

"Tá brón orm. Tá tú dhá bhliain déag. Beagnach trí bliana déag. Ceannaigh ceann de

na dioscaí ceoil nua sin duit féin agus ná bac le
seanbhacach cosúil liomsa." Rinne sé meangadh
agus beagán diabhlaíochta ina shúil.

"Ar mhiste leat dá gcuirfinn ceist ort?" arsa
Chloe.

"Níor mhiste, lean ort."

"Bhuel, cén fáth a bhfuil tú i do chónaí ar
bhinse agus ní i dteach cosúil liomsa?"

D'fhéach Mr Lofa beagán míshuaimhneach.

"Scéal fada atá ann, a stóirín," ar sé. "B'fhéidir
go n-inseoinn duit é lá níos faide anonn."

Bhí díomá ar Chloe. Ní raibh a fhios aici an
mbeadh sí ag caint leis arís. Dá bhfaigheadh
a máthair amach go raibh sí ag féachaint ar
an bhfear seo, gan trácht ar bheith caint leis,
chaillfeadh sí an cloigeann.

"Bhuel, tá brón orm cur as duit," arsa Chloe.
"Bíodh lá deas agat." A luaithe a bhí na focail
ráite aici, bhí aiféala uirthi. A leithéid de rud le

rá. Conas a bheadh lá deas aige? Fear gan dídean, le boladh bréan uaidh agus an spéir ar tí oscailt. Ar aghaidh leo suas an tsráid. Bhí sí náirithe ceart.

"Céard é sin ar do dhroim, a chroí?" a bhéic Mr Lofa ina diaidh.

"Ar mo dhroim?" a d'fhiafraigh Chloe agus í ag iarraidh féachaint thar a gualainn. Shín sí siar a lámh agus tharraing sí píosa páipéir dá seaicéad.

Scríofa ar an bpáipéar i gcló trom bhí aon fhocal amháin.

ÓINSEACH

Bhí náire an domhain ar Chloe. Cinnte, ba í Rosamund a chuir ann é agus í ag fágáil na scoile. Bhí sise ina ceannaire ar na cailíní cúláilte agus bhíodh sí seasta ag magadh fúithi as a bheith ag ithe an iomarca milseán nó a bheith níos boichte ná na cailíní nó mar gurbh ise an cailín nach mbíodh duine ar bith ag iarraidh nuair a bhíodh foireann haca á roghnú. Nuair a bhí Chloe ag fágáil na scoile leag Rosamund a lámh ar a droim agus dúirt "Nollaig Shona" fad a bhí na cailíní

eile ag gáire. Anois thuig Chloe cad a tharla. D'éirigh Mr Lofa go cróilí ón mbinse agus thóg sé an páipéar ó Chloe.

"Ní chreidim go raibh sé sin orm an tráthnóna

ar fad," arsa Chloe. Bhí faitíos uirthi go raibh sí chun pléascadh amach ag caoineadh. Thiontaigh sí a droim le Mr Lofa ionas nach bhfeicfeadh sé í agus na deora léi.

"Cad atá ort, a stór?" a d'fhiafraigh Mr Lofa go cineálta.

"Bhuel," arsa Chloe go brónach, "tá sé fíor, is

óinseach mé."

Chrom Mr Lofa síos chun féachaint idir an dá shúil uirthi. "Níl," ar sé, go láidir. "Ní óinseach thú. Is óinseach í an té a chuir ann é."

Theastaigh ó Chloe an méid sin a chreidiúint. Ach ina croí istigh, ní raibh sí in ann. Mhothaigh sí féin le fada an lá gur óinseach í. B'fhéidir go

raibh an ceart ar fad ag Rosamund agus na cailíní eile ar fad ar scoil.

"Níl ach áit amháin dó seo," arsa Mr Lofa. Bhurláil sé an páipéar agus chaith sé san aer é mar a bheadh cruicéadaí ann agus isteach leis an bpáipéar sa bhosca bruscair. Las samhlaíocht Chloe arís agus shamhlaigh sí go mbíodh Mr Lofa ina chruicéadaí gairmiúil fadó.

Chuimil Mr Lofa a dhá lámh dá chéile. "Bíodh an fheamainn acu," ar sé.

"Go raibh maith agat," arsa Chloe go híseal.

"Ná habair é," arsa Mr Lofa. "Ná lig do na bulaithe sin cur as duit."

"Ceart go leor," arsa Chloe. "Slán, a Uasail... uth..." ar sí. Mr Lofa a thug gach uile dhuine air, ach cheap sí go mbeadh sí drochbhéasach é sin a rá.

"Lofa," ar sé. "Mr Lofa a thugann siad orm."

"Ó. Deas bualadh leat, a Mr Lofa. Mise Chloe."

"Haileo, a Chloe," arsa Mr Lofa.

"An bhfuil tú cinnte nach bhfuil rud ar bith uait ón siopa, a Mr Lofa? Gallúnach, b'fhéidir?" arsa Chloe.

"Níl, go raibh maith agat," ar sé. "Ní theastaíonn gallúnach uaim. Níl ann ach bliain ó bhí folcadán agam go deireanach. Ach ba bhreá liom ispíní. D'íosfainn ispíní go dtiocfaidís amach as mo dhá chluas..."

2

Ciúnas Cráiteach

"A Mháthair?" arsa Annabelle.

Lean Máthair ag cogaint a bia go hiomlán, ansin shlog sí é, sular fhreagair sí an cailín.

"Sea, a stór mo chroí?"

"Chuir Chloe ceann dá cuid ispíní i bhfolach ina naipcín."

Tráthnóna Dé Sathairn a bhí ann agus bhí an teaghlach ina suí ag an mbord sa seomra bia, fad a bhí *Strictly Come Dancing* agus *The X-Factor* ar an teilifís. Mheas Máthair gur dona an tógáil é bheith ag ithe agus ag féachaint ar an teilifís ag an am céanna. Ina áit sin bhí ar an

teaghlach suí go ciúin ag ithe a mbéile. Nó, ó
am go chéile, roghnódh Máthair ábhar le plé. Go
hiondúil labhródh sí faoin méid a dhéanfadh sí
féin dá mbeadh sí i gceannas ar an tír. B'shin an
t-ábhar cainte ab ansa léi ar fad. Bhíodh salón
áilleachta aici ach chaith sí in aer é chun seasamh
sna toghcháin le bheith ina polaiteoir. Ní raibh
amhras dá laghad uirthi ach go mbeadh sí ina
Príomh-Aire ar an tír, lá breá éigin.

Bhí Máthair thar a bheith postúil mar dhuine.
Bhí Éilís tugtha aici ar an gcat, in ómós do
bhanríon éigin. Bhí leithreas thíos staighre
a bhí coinnithe faoi ghlas do 'chuairteoirí
tábhachtacha', amhail is go raibh an Príomh-
Aire chun teacht ar cuairt. Bhí soithí speisialta sa
chófra do chuairt dá leithéid, ach níor úsáideadh
riamh iad. Bhí sé de nós aici úraitheoir aeir a
spraeáil sa ghairdín fiú. Ní chuirfeadh Máthair
cos taobh amuigh den doras gan a bheith gléasta

go hard na spéire, lena cuid péarlaí timpeall a muiníl agus a dóthain sprae ina cuid gruaige a chruthódh athrú aeráide as féin. Chuir sí an oiread de chor ina srón le gach rud agus le gach duine go raibh an baol ann go bhfanfadh sé mar sin. Seo pictiúr de.

Nach í a bhreathnaíonn ardnósach?

Ní nach ionadh, roghnaigh Athair, nó Daidí mar a thugaidís air nuair nach raibh Máthair thart, an saol suaimhneach agus níor labhair sé mórán, ach amháin nuair a labhair duine eile leis go díreach. Fear mór láidir a bhí ann, ach d'airigh sé beag agus lag i gcuideachta a mhná céile. Ní raibh sé ach dhá scór bliain d'aois ach bhí sé ag éirí maol cheana féin agus ní sheasadh sé suas díreach níos mó agus é ag siúl. D'oibrigh sé laethanta fada i monarcha carranna ar imeall an bhaile mhóir.

"An bhfuil ispín curtha i bhfolach i do naipcín agat, a Chloe?" arsa Máthair go borb.

"Tarraingíonn tú trioblóid orm i gcónaí," arsa Chloe go feargach.

Bhí sé sin fíor. Bhí Annabelle dhá bhliain níos óige ná Chloe. Cheap daoine fásta go raibh sí iontach ar fad ach níor thaitin sí le leanaí eile mar gur lig sí uirthi féin go raibh sí an-mhaith. Go minic, bhéiceadh sí ar a máthair go raibh Chloe á bualadh, cé go mbíodh Chloe ag scríobh léi go ciúin ina seomra féin béal dorais. "CHLOE, ÉIRIGH DÍOM! TÁ TÚ DO MO GHORTÚ!" Is cinnte go raibh donas éigin in Annabelle.

"Ó, tá brón orm a Mháthair, thit sé den bhord," arsa Chloe go ciontach. Bhí sé i gceist aici an t-ispín a thabhairt chuig Mr Lofa. Bhí sí ag cuimhneamh air ar feadh an tráthnóna. Shamhlaigh sí amuigh é, ag crith leis an bhfuacht, an oíche fhuar dhorcha sin i mí na Nollag agus Chloe í féin istigh, te teolaí.

"Bhuel, cuir ar ais ar do phláta é mar sin," a d'ordaigh Máthair.

"Tá mé sách náirithe go bhfuil muid ag ithe ispíní don dinnéar. Thug mé orduithe soiléire d'athair bailiú leis chuig an ollmhargadh agus ceithre fhilléad den iasc orgánach is deise a cheannach. Agus tháinig sé abhaile le punt ispíní. Dá bhfeicfeadh duine ar bith muid ag ithe bia mar seo, bheinn caillte le náire. Bheidís ag ceapadh gur amhais muid!"

"Tá brón orm, a bhean chóir," arsa Daid. "Ní raibh iasc orgánach ar bith fágtha." Chaoch sé an tsúil le Chloe, ag tabhairt le fios dí gur d'aon ghnó a cheannaigh sé na hispíní seachas an t-iasc. Rinne Chloe meangadh beag leis. Thaitin ispíní go mór le Chloe agus lena hathair, agus go leor bia eile nach raibh ceadaithe sa teach – burgair, méara éisc, deochanna súilíneacha agus go háirithe cóin uachtar reoite (nó 'cúr an diabhail', mar a thugadh Máthair air). "B'fhearr liom an bás ná rud ar bith a ithe amach as veain," ar sí.

"Anois, gach duine ag glanadh suas," arsa Máthair agus an béile ite. "Annabelle, a aingilín álainn, glan tusa an bord, Chloe, nigh na soithí agus a Fhir Chéile, tusa ag triomú. Nuair a dúirt sí 'gach duine', chiallaigh sí gach duine ach ise. Agus an chuid eile den teaghlach ag glanadh suas, luigh Máthair siar ar an tolg agus d'ith sí briosca. Cheadaigh sí briosca amháin di féin in aghaidh an lae. D'ith sí chomh mall é gur mhair an briosca sin uair an chloig.

"Tá ceann de mo chuid brioscaí galánta seacláide ar iarraidh arís," a bhéic sí amach.

D'fhéach Annabelle go milleánach ar Chloe agus chuaigh sí ar ais sa seomra bia le tuilleadh plátaí a bhailiú. "Cuirfidh mé geall leat gurb í an ramhrachán atá ciontach!" ar sí le nimh. "Bí go deas, a Annabelle," arsa Daid.

D'airigh Chloe go dona, cé nach ise a d'ith an briosca. Sheas sí le taobh a Daid ag an doirteal.

"Cén fáth a raibh ceann de do chuid ispíní curtha i bhfolach agat, a Chloe?" ar sé. "Murar thaitin sé leat, d'fhéadfá é a fhágáil i do dhiaidh."

"Ní raibh sé curtha i bhfolach agam, a Dhaid."

"Céard a bhí ar siúl agat mar sin?"

Go tobann tháinig Annabelle isteach le

tuilleadh soithí salacha agus thit an bheirt ina dtost. D'fhan siad gur imigh sí.

"Bhuel, a Dhaid, tá's agat an fear siúil sin síos an baile-"

"Mr Lofa?"

"Sea. Bhuel, bhí mé ag iarraidh an t-ispín a thabhairt síos chuig a mhadra."

Bréag a bhí ann, ach ní bréag mhór.

"Bhuel, ní bheadh aon dochar ansin, is dócha," arsa Daid. "Ach, geábh amháin, an dtuigeann tú?"

"Ach-"

"Geábh amháin, a Chloe. Nó beidh Mr Lofa ag súil go ndéanfaidh tú é gach lá. Anois, tá punt eile ispíní curtha i bhfolach taobh thiar den crème frâiche agam, cibé céard é sin. Caithfidh mé síos iad sula n-éireoidh do mháthair amárach agus beidh tú in ann-"

"CÉARD FAOI A BHFUIL SIBHSE AG

COGARNAÍL?" a bhéic Máthair ón seomra suí.

"Ó, uth, níl muid ach ag plé cúrsaí polaitíochta," arsa Daid. "Tá mise ag rá go ndéanfá sár-Phríomh-Aire agus measann Chloe go mbeadh tú i d'Uachtarán iontach."

"Ceart go leor. Leanaigí oraibh!" a bhúir an glór béal dorais.

Rinne Daid meangadh mí-ásach le Chloe.

3

An Fánaí

D'ith Mr Lofa na hispíní ar bhealach galánta nach mbeifeá ag súil leis. I dtosach báire, chuir sé naipcín faoina smig. Ansin, thóg sé scian agus forc ársa as a phóca. Ar deireadh, thóg sé amach pláta poircealláin a raibh imeall órga air. Pláta álainn a bhí ann ach bhí sé lofa salach. Shín sé an pláta chuig an mBandiúc lena ghlanadh lena teanga sular leag sé na hispíní anuas air.

Bhain Chloe lán na súl as seo ar fad. An raibh leid anseo faoin saol a bhí caite ag Mr Lofa? Meas tú ar gadaí uasal a bhí ann fadó, a bhíodh ag sleamhnú isteach i dtithe daoine uaisle i lár na hoíche fadó, ag goid sceanra airgid agus a leithéid?

"An bhfuil aon ispín eile agat?" arsa Mr Lofa agus a bhéal lán.

"Ní raibh agam ach na hocht gcinn sin," arsa Chloe.

Sheas sí i bhfad siar uaidh mar go raibh deora ina súile ag an drochbholadh a bhí uaidh. Bhí an Bandiúc ag féachaint suas ar Mr Lofa amhail is go raibh áilleacht an tsaoil uile sna feadáin feola sin.

"Seo dhuit, a Bhandiúc," arsa Mr Lofa agus é ag cur leath ispín isteach go cúramach i mbéal an mhadra. Bhí an oiread ocrais ar an madra gur shlog sí siar é, gan bacadh lena chogaint. Lean sí uirthi ag stánadh ar a húinéir. Ar ith duine nó ainmhí ispín chomh tapa riamh? Bhí Chloe leath ag súil go dtiocfadh oifigeach éigin le stopuaireadóir ag an nóiméad sin chun a fhógairt go raibh curiarracht bainte ag an madra as chomh tapa is a d'ith sí ispín.

"Bhuel, a Chloe, an bhfuil gach rud ceart go leor sa bhaile?" arsa Mr Lofa, agus é ag ligean don Bhandiúc pé sú ispín a bhí fágtha ar a mhéara a líochán anuas díbh.

"Gabh mo leithscéal?" arsa Chloe agus iontas uirthi.

"An bhfuil gach rud ceart go leor sa bhaile? Ní dóigh liom go mbeadh an Domhnach á chur amú agat ag caint le seanfhámaire ar nós mise dá mbeadh gach rud ceart go leor sa bhaile."

"Fámaire?"

"Ní maith liom 'fear siúil'. Cuireann sé duine a bhfuil boladh bréan uaidh i gcuimhne dom."

Rinne Chloe iarracht a hiontas a cheilt. Bhí an chuma ar an mBandiúc go raibh iontas uirthi féin. Agus níor thuig sise teanga ar bith ach caint na madraí.

"Is fearr liom fámaire, nó fánaí," arsa Mr Lofa.

Cheap Chloe go raibh fuaim cineál fileata uaidh sin. Go háirithe 'fánaí'. Ba bhreá léi bheith ina fánaí. Ag fánaíocht ar fud an domhain, in áit bheith sáinnithe sa bhaile leadránach seo, áit nár tharla rud ar bith nua, ó lá go lá ná ó sheachtain go seachtain.

"Tá gach rud togha sa bhaile," arsa Chloe go cinnte.

"Bhfuil tú *cinnte*?" arsa Mr Lofa, le críonnacht a ghabhfadh go croí ionat.

Ní raibh rudaí togha ar chor ar bith sa bhaile. Bhí a máthair iomlán tógtha le hAnnabelle – mar go raibh sí chomh cosúil léi féin. Bhí na ballaí ar fad clúdaithe le gradaim agus grianghraif d'éachtaí a deirféar.

Pictiúir di ag glacadh le duaiseanna, teastais lena hainm orthu, trófaithe agus boinn le 'céad áit' nó 'maistín' orthu. (Chum mé an ceann deireanach sin.)

Dá mhéad éacht a bhain Annabelle amach, ba ea ba mhó a d'airigh Chloe go raibh ag teip uirthi féin. Chaith a tuismitheoirí formhór a n-ama ag tiomáint Annabelle fud fad an bhaile chuig cúrsaí agus ranganna. Ní raibh ort ach féachaint ar a sceideal agus bheifeá tuirseach.

Dé Luain

5am Ranganna snámha

6am Ceacht clairinéid

7am Rang damhsa, snagcheol comhaimseartha

8am Rang damhsa, bailé

9am go 4pm Scoil

4pm Rang drámaíochta, gluaiseacht

agus cumadóireacht

5pm Ceacht pianó

6pm Na Brídíní

7pm Na Gasóga

8pm Cleachtadh caitheamh sleá

Dé Máirt

4am Ceacht veidhlín

5am Cleachtadh siúl ar chosa croise

6am Cumann Fichille

7am Foghlaim Seapáinise

8am Rang cóiriú bláthanna

9am go 4pm Scoil

4pm Rang scríbhneoireachta chruthaithí

5pm Rang potadóireachta

6pm Cleachtadh cruite

7pm Rang péintéireachta uiscedhathanna

8pm Rang damhsa, bálseomra

Dé Céadaoin

3am Cleachtadh don chóir

4am Traenáil léim fhada

5am Traenáil léim ard

6am Traenáil léim fhada arís

7am Ceacht ar an trombón

8am Rang tumadóireachta

9am go 4pm Scoil

4pm Traenáil cócaireachta

5pm Dreapadh sléibhte

6pm Leadóg

7pm Ceardlann drámaíochta, Shakespeare
agus drámadóirí a linne

8pm Seóléimneach

Déardaoin

2am Foghlaim Araibise

3am Rang damhsa, brisdamhsa, hip hap,
crompáil

4am Ceacht ar an óbó

5am Traenáil rothaíochta Tour de France

6am Staidéar ar an mBíobla

7am Traenáil gleacaíochta

8am Rang callagrafaíochta

9am go 4pm Scoil

4pm Taithí oibre in éineacht le máinlia
inchinne

5pm Ceacht amhránaíocht cheoldrámaíochta

6pm Ceardlann spáis le NASA

7pm Rang bácála, leibhéal a 5

8pm Léacht ar 'Stair na gCroiméal Victeoiriach'

Dé hAoine

1am Ceacht ar an triantán, grád 5

2am Badmantan

3am Boghdóireacht

4am Eitil chun na hEilvéise i gcomhair cleachtadh sciála. Foghlaim faoi uibheacha ó shaineolaí ar an eitilt (le deimhniú).

6am Rang tapa sciála agus ar ais ar an eitilt. Rang dealbhóireachta ar an eitilt.

8am Rang cicdhornálaíochta (ná dearmad na scíonna a bhaint díot roimh ré).

9am go 4pm Scoil

4pm Traenáil do shnámh trasna Mhuir nIocht

5pm Ceardlann ar dheisiú gluaisrothair

6pm Déantús coinnle

7pm Ceardlann ar bheathú madra uisce

8pm Clár teilifíse. Clár faisnéise faoi dhéantús cairpéad sa Bheilg nó cartún ón bPolainn ó na 1920idí faoi ulchabhán brónach.

Ní raibh ansin ach laethanta na seachtaine. Ba ar an deireadh seachtaine ba mhó a bhíodh Annabelle gnóthach. Cén t-iontas gur airigh Chloe go raibh neamhaird á tabhairt uirthi.

"Bhuel is dócha go bhfuil rudaí sa bhaile... bhuel..." arsa Chloe go stadach. Bhí sí ag iarraidh labhairt faoi, ach bhí sí míchinnte.

Gang! Gang! Gang! Gang!

Níl mé imithe as mo mheabhair, a léitheoirí. Sin clog an tséipéil ag bualadh a ceathair a chlog.

Baineadh siar as Chloe. D'fhéach sí ar a huaireadóir. A ceathair a chlog! Bhíodh a cuid obair bhaile le déanamh aici idir a ceathair agus a sé gach lá. Fiú le linn an tsamhraidh.

"Tá brón orm, a Mr Lofa, caithfidh mé imeacht," ar sí. Ba mhór an faoiseamh di é. Níor fhiafraigh aon duine riamh cheana di cén chaoi a raibh sí...

"Dáiríre, a stór?" arsa an seanfhear agus díomá air.

"Sea, sea, beidh mo mháthair le ceangal mura bhfaighidh mé C ar a laghad sa Mhata. Cuireann sí scrúduithe breise orm le linn na laethanta saoire."

"Ní mórán de shaoire é sin," arsa Mr Lofa.

Chroith Chloe a guaillí. "Ní chreideann mo mháthair i laethanta saoire." Sheas sí suas. "Tá súil agam gur thaitin na hispíní leat," ar sí.

"Bhí siad thar a bheith blasta," arsa Mr Lofa.

"Go raibh míle maith agat. Tá tú an-chineálta."

Rith Chloe léi i dtreo an bhaile. Dá dtógfadh sí aicearra, bheadh sí ann roimh a máthair.

"Slán!" arsa Mr Lofa go séimh ina diaidh.

4

Ráiméis

Bhrostaigh Chloe léi abhaile. Bhí eagla an domhain uirthi go mbeadh sí déanach. Níor theastaigh uaithi go mbeadh a máthair á ceistiú faoin moill a bhí abhaile uirthi, nó cá raibh sí nó cé leis a bhí sí ag caint. Chaillfí a máthair dá mbeadh a fhios aici go raibh a hiníon ina suí ar bhinse i gcuideachta duine a dtabharfadh sí 'leadaí brocach' air. Tá bealach ag daoine fásta le rudaí a mhilleadh i gcónaí.

Mhoilligh Chloe síos áfach agus í ag dul thar shiopa Raj. *Barra amháin seacláide*, a dúirt sí léi féin.

Toisc go raibh an-dúil ag Chloe sa tseacláid, bhí sí ar dhuine de na custaiméirí ab fhearr a bhí ag Raj. Ba leis siúd an siopa nuachtán áitiúil. Fear mór suáilceach ab ea Raj. An rud ba mhó a theastaigh ó Chloe inniu, áfach, ná comhairle.

Agus seacláid b'fhéidir. Barra amháin. B'fhéidir péire.

"Á, Miss Chloe!" arsa Raj, agus í ag dul isteach. "Céard atá uait inniu?"

"Haileo, a Raj," arsa Chloe, le meangadh uirthi. Bhíodh meangadh uirthi i gcónaí nuair a d'fheiceadh sí Raj. Cuid den chúis a bhí leis sin ná gur fear chomh deas sin é. Cuid eile den chúis ná gur dhíol Raj milseáin.

"Tá margadh maith ar na Rolos inniu," arsa Raj. "Tá an dáta caite orthu agus tá siad chomh crua le cloch. D'fhéadfaidís d'fhiacla a bhriseadh ach tá siad 10c níos saoire mar gheall air sin."

"Mmm, fan go bhfeicfidh mé," arsa Chloe

agus í ag féachaint ar na seilfeanna, iad líon lán de rudaí milse.

"D'ith mé leath Lion Bar ar ball agus féadfaidh tú an chuid eile a bheith agat. Ní bhainfidh mé díot ach 15c air."

"Ceapaim go mbeidh Crunchie agam."

"Ceannaigh seacht gcinn agus gheobhaidh tú an t-ochtú ceann saor in aisce!"

"Déanfaidh ceann mé, go raibh maith agat." Leag Chloe an t-airgead ar an gcuntar.

Luach maith ar airgead a bheadh ann mar gheall ar an sásamh ollmhór a bhainfeá as. "Ach nach dtuigeann tú an margadh atá mé a thairiscint duit? Ocht gcinn ar phraghas sheacht gcinn!"

"Ní theastaíonn ocht Crunchie uaim, a Raj," arsa Chloe. "Teastaíonn comhairle uaim."

"Ní dóigh liom go bhfuil mise sách freagrach le bheith ag cur comhairle ort," arsa Raj. "Ach déanfaidh mé iarracht."

Ba bhreá le Chloe bheith ag caint le Raj. Níor thuismitheoir ná múinteoir é agus ba chuma céard a déarfá leis, níor thug sé aon bhreithiúnas ort. Mar sin féin, bhí Chloe beagán neirbhíseach. Bhí sí ar tí bréag bheag a insint do Raj. "Bhuel, tá an cailín seo ar scoil..." arsa Chloe.

"Sea? Cailín ar scoil. Ní tusa?"

"Ní mé. Duine eile."

"Sea," arsa Raj.

D'fhéach Chloe síos ar an talamh agus í ag caint. "Bhuel, bíonn mo chara ag caint le fear siúil agus is breá léi bheith ag caint leis ach chaillfeadh a máthair an cloigeann dá mbeadh a fhios aici é, mar sin níl a fhios agam – uth – níl a fhios aici céard le déanamh."

D'fhéach Raj ar Chloe. "Sea?" ar sé. "Céard go díreach í do cheist?"

"Bhuel, a Raj," arsa Chloe. "An gceapann tú go bhfuil sé mícheart bheith ag caint le fir shiúil?"

"Bhuel, níor cheart labhairt le strainséirí," arsa Raj. "Ná dul i gcarr le duine nach n-aithníonn tú!"

"Níor cheart," arsa Chloe agus díomá uirthi.

"Ach, níl i bhfear siúil ach duine gan dídean," arsa Raj. "Déanann an iomarca daoine neamhaird ar a leithéid."

"Déanann!" arsa Chloe. "Sin a cheapaimse freisin."

Rinne Raj meangadh. "D'fhéadfadh duine ar bith againn a bheith gan dídean lá éigin. Ní fheicim go bhfuil rud ar bith mícheart le bheith ag caint le fear siúil."

"Go raibh maith agat, a Raj, beidh mé... uth, inseoidh mé don chailín, ar scoil."

"Cén t-ainm atá uirthi?"

"Uth... Stiofán! Susan atá i gceist agam... ní hea, Sorcha. Sea, Sorcha."

"Tusa atá ann, nach ea?" arsa Raj le meangadh.

"Sea," arsa Chloe.

"Cailín lách thú, a Chloe. Nach deas agat am a thógáil chun labhairt le fear siúil. Is mór an trua nach bhfuil tuilleadh daoine ar domhan cosúil leatsa."

"Go raibh maith agat, a Raj," arsa Chloe agus í náirithe ag an moladh.

"Anois, céard a cheannóidh tú dó i gcomhair na Nollag?" arsa Raj agus é ag féachaint timpeall ar a shiopa mínéata. "Tá bosca stáiseanóireachta Teenage Mutant Ninja Turtles agam. Níl air ach €3.99. Ceannaigh ceann agus gheobhaidh tú deich gcinn in aisce."

"Ní dóigh liom go mbeadh aon ghnó aige do bhosca stáiseanóireachta Teenage Mutant Ninja Turtles, a Raj."

"Cinnte bheadh, a Chloe. Ba cheart go mbeadh ceann ag gach uile dhuine againn. Tá peann luaidhe Teenage Mutant Ninja Turtles ann, scriosán Teenage Mutant Ninja Turtles, rialóir Teenage Mutant Ninja Turtles, cás peann luaidhe Teenage Mutant –"

"Tuigim, a Raj, go raibh maith agat ach níl sé uaim agus níl mé chun ceann a cheannach. "Caithfidh mé imeacht," arsa Chloe agus í ag druidim i dtreo an dorais, ag baint an pháipéir dá Crunchie agus í ag imeacht.

"Fan go fóill, níl deireadh ráite agam, a Chloe! Níl oiread is ceann amháin díolta agam. Tá cóipleabhar Teenage Mutant Ninja Turtles ann, bioróir Teenage Mutant Ninja Turtles... ó, tá sí imithe."

"Agus céard é seo, a chailín?" arsa Máthair, go borb. Bhí sí ina seasamh i seomra Chloe agus cóipleabhar mata ina lámh aici. Bhí an cóipleabhar crochta suas idir ordóg agus méar thosaigh aici, amhail is gur phíosa tábhachtach fianaise a bhí ann.

"Mo chóipleabhar Mata, a Mháthair," ar sí le heagla agus í ag teannadh isteach sa seomra.

B'fhéidir go gceapann tú go raibh imní ar Chloe mar nach raibh a mata uile i gceart sa chóipleabhar. Níorbh í sin an fhadhb. Bhí sé ceaptha bheith lán ó chlúdach go clúdach le huimhreacha leadránacha agus cruacheisteanna ailgéabair. Ach ina ionad sin, bhí an cóipleabhar lán le pictiúir agus focail scríofa le marcóirí daite. Bhí sé lán le focail agus pictiúir ildaite.

Mar thoradh ar an am ar fad a chaith Chloe aisti féin, ba bhreá léi éalú isteach i ndomhan a samhlaíochta. Áit dhraoichtiúil a bhí ann, áit i bhfad níos deise ná an gnáthshaol. D'úsáid sí an cóipleabhar chun scéal a scríobh faoi chailín a théann chuig scoil (an-chosúil le scoil Chloe) ina bhfuil na múinteoirí ar fad ina vaimpírí. Cheap sí go raibh an scéal i bhfad níos fearr ná mata, ach ba chosúil nár aontaigh Máthair leis sin.

"Más é seo do chóipleabhar mata, cén fáth a bhfuil an scéal gránna seo ann?" arsa Máthair. Cé go raibh Máthair ag cur ceiste uirthi, níor fhan sí le haghaidh freagra. "Cén t-iontas go bhfuil tú chomh dona ag mata. Samhlaím gur chaith tú an t-am ar fad sa rang ag scríobh na... na *ráiméise* seo. Tá mé thar a bheith díomách leat, a Chloe."

Dheargaigh leicne Chloe le náire agus bhí a cloigeann fúithi aici. Níor cheap sise gur ráiméis a bhí ann. Ach níor theastaigh uaithi é sin a rá le Máthair.

"Céard atá le rá agat, a chailín?" a bhéic Máthair.

Chroith Chloe a cloigeann. Ní raibh uaithi ach go slogfadh an talamh í.

"Bhuel, seo a cheapaim de do scéal," arsa Máthair, agus thosaigh sí ag stróiceadh an chóipleabhair.

"M-m-más... é do thoil..." arsa Chloe go stadach.

"Éirigh as! Níl mise ag íoc táillí scoile le go mbeidh tusa ag cur do chuid ama amú leis an tseafóid seo!" Bhí an cóipleabhar an-deacair le stróiceadh ach níorbh fhada go raibh sé ina phíosaí ag Máthair. Bhí na deora le Chloe agus

Máthair ag caitheamh an chóipleabhair sa bhosca bruscair.

"An é go bhfuil tú ag iarraidh bheith ag obair i monarcha carranna cosúil le d'athair? Má dhíríonn tú ar an mata, tá seans nach dtarlóidh sé sin! Mura ndéanfaidh, beidh tú ag cur do shaol amú, mar a rinne d'athair. An é sin atá uait?"

"Bhuel, ní –"

"Ná labhair agus mé ag caint!" a bhéic Máthair. "Níorbh fholáir duit do chuid seafóide a chaitheamh in aer, a chailín!"

Níor thuig Chloe go baileach céard a bhí i gceist aici, ach ní ligfeadh an faitíos di ceist a chur. D'imigh Máthair agus ba bheag nár bhain sí an doras de na hinsí ar a bealach amach. Shuigh Chloe ar an leaba agus chuir sí a cloigeann fúithi.

Smaoinigh sí ar Mr Lofa ar an mbinse agus é gan dídean. Agus í ina suí ina teach compordach, d'airigh Chloe ina croí istigh go raibh sise gan dídean freisin ina bealach féin.

5

Éalaigí!

Maidin Dé Luain. An chéad lá ceart de shaoire na Nollag. Bhí drogall an domhain ar Chloe roimhe. Ní raibh aon chairde aici le teagmháil a dhéanamh leo ar théacs, ríomhphost, Facebook, Twitter nó cibé, ach bhí duine *amháin* a bhí sí ag iarraidh a fheiceáil...

Faoin am a shroich sí an binse bhí sé ag báisteach go trom agus bhí aiféala uirthi nár thug sí scáth báistí léi.

"Ní raibh muid ag ceapadh go bhfeicfeadh muid arís inniu thú, a Chloe," arsa Mr Lofa. Bhí áthas ina shúile, d'ainneoin na báistí.

"Tá brón orm gur rith mé uait an lá cheana," arsa Chloe.

"Ná bíodh aon imní ort faoi sin," ar sé, ag gáire.

Shuigh Chloe síos lena thaobh. Leag sí lámh ar an mBandiúc agus ansin thug sí faoi deara go raibh a bos dubh. Chuimil sí a lámh dá treabhsar chun í a ghlanadh. Bhí sí ar crith leis an bhfuacht.

"Ó, ná habair, tá tú fuar!" arsa Mr Lofa. "An gcuardóidh muid foscadh ón mbáisteach in áras caife?"

"Uth... cinnte," arsa Chloe agus amhras uirthi an smaoineamh maith a bheadh ann duine a bhí chomh bréan a thabhairt isteach i spás dúnta. Agus iad ag siúl isteach sa bhaile, d'airigh an bháisteach an-fhuar go deo.

Nuair a shroich siad an siopa caife, d'fhéach Chloe isteach agus chonaic sí nach raibh aon áit le suí ann. "Breathnaíonn sé go bhfuil an áit lán go doras," ar sí. Bhí an caifé plódaithe le siopadóirí Nollag agus iad ar foscadh ón aimsir.

"Ar aghaidh linn, go bhfeicfidh muid," arsa Mr Lofa agus é ag cur an Bhandiúic i bhfolach ina chóta bréidín.

D'oscail an fear siúil an doras do Chloe agus isteach léi. Nuair a chuaigh Mr Lofa thar an tairseach, scrios sé an boladh álainn caife a bhí ann roimhe agus líon sé polláirí na gcustaiméirí leis an mboladh lofa a bhí uaidh féin.

Bhí an áit ciúin ar feadh nóiméid.

Ansin scanraigh gach duine.

Thosaigh gach duine ag rith i dtreo an dorais agus a mbéal clúdaithe acu le naipicíní.

"Éalaigí!" a bhéic duine den fhoireann agus thug an chuid eile den fhoireann na sála leo. Chaith siad uathu na cupáin agus na cácaí agus theith siad.

"Níl sé chomh plódaithe is a cheap mé anois," arsa Mr Lofa.

Ba ghearr nach raibh sa chaifé ach an bheirt acu. *B'fhéidir go bhfuil buntáistí le boladh bréan*, arsa Chloe léi féin. Má bhí Mr Lofa in ann caifé a fholmhú, samhlaigh dá dtabharfadih sí chuige an bhfáinne scátála é. Bheadh an áit ar fad fúithi féin aici. Nó d'fheadfaidís dul chuig Alton Towers agus ní bheadh orthu seasamh i líne ar bith le dul ar cheann ar bith de na marcaíochtaí. Nó céard faoi Mr Lofa a thabhairt ar scoil lá éigin?

Dá mbeadh an boladh sách dona, bheadh ar an bpríomhoide gach duine a chur abhaile agus bheadh an lá saor aici!

"Suigh síos ansin, a chroí," arsa Mr. Lofa. "Céard ba mhaith leat le hól?"

"Uth... cappuccino, le do thoil," arsa Chloe, ag cur cuma duine fásta ar a glór.

"Sin a bheidh agamsa freisin." Chuaigh Mr Lofa taobh thiar den chuntar agus thosaigh sé ag oscailt boscaí éagsúla. "Dhá cappuccino ar an mbealach."

Rinne na meaisíní torann ar feadh cúpla soicind agus anall le Mr Lofa chuig an mbord le dhá mhuga de leacht éigin dubh. Ba mhór an ghráin an chuma a bhí air, é chomh tiubh le mil ach gan blas milis ar bith air. Ach ní dhearna Chloe aon ghearán. D'fhoghlaim sí sa bhaile agus í ag fás aníos go mbeadh sé drochbhéasach a leithéid a dhéanamh. Bhain sí blaiseadh as an muga agus d'éirigh léi meangadh beag a chur ar a béal is a rá, "Mmm... go hálainn!"

Mheasc Mr Lofa an leacht le spúnóg bheag ghalánta airgid a thóg sé as a phóca. Thug Chloe faoi deara go raibh trí litir bheaga, greanta go néata ar chos na spúnóige. Ní raibh deis aici na litreacha a dhéanamh amach sula raibh an spúnóg curtha ar ais ina phóca aige. An raibh brí leo, nó an spúnóg í seo a bhí goidte ag Mr Lofa agus é ag gadaíocht ó na daoine uaisle fadó?

"Bhuel, Miss Chloe," arsa Mr Lofa agus é ag briseadh isteach ar a cuid smaointe. "Seo í saoire na Nollag nach í?" Thóg sé bolgam as a mhuga. "Cén fáth nach bhfuil tú sa bhaile le do theaghlach ag cur maisiúchán ar fud an tí le do thuismitheoirí nó ag réiteach na mbronntanas le cur faoin gcrann?"

"Bhuel, tá sé deacair a mhíniú..." Ní raibh sé éasca ag duine ar bith de mhuintir Chloe a mothúcháin a chur in iúl. Mheas a máthair go raibh mothúcháin náireach agus gur laige iad.

"Tóg d'am, a stór."

Tharraing Chloe isteach a hanáil go domhain agus tháinig gach rud amach aisti ina shruth. D'iompaigh an sruth isteach ina abhainn. D'inis sí dó go mbíodh a tuismitheoirí ag argóint an t-am ar fad agus gur chuala sí a máthair ag béiceadh uair amháin, "Ar mhaithe leis na cailíní atá mé in éineacht leat!"

Go raibh sí cráite ag a deirfiúr. Nach raibh rud ar bith a rinne sí sách maith. Gur chuir a máthair an babhla a rinne sí sa rang potaireachta i bhfolach ar chúl an chófra agus nach bhfaca sí riamh ina dhiaidh sin é, ach gur cuireadh rud ar bith a rinne a deirfiúr ar taispeáint amhail is gurb é an *Mona Lisa* a bhí ann.

D'inis Chloe do Mr Lofa go mbíodh a máthair ag cur iallach uirthi meáchan a chailleadh. Go mbíodh a máthair ag tabhairt "saill na hóige" air go dtí gur bhain sí dhá bhliain déag amach, ach go ndúirt sí ansin go raibh sí 'san ainmhéid' amhail is gur míol mór í. B'fhéidir go raibh Máthair ag súil go gcuirfeadh an náire iallach uirthi meáchan a chailleadh, ach ní raibh de thoradh air ach go raibh Chloe míshona agus ag ithe níos mó ná riamh. Agus nuair a d'itheadh sí ualach seacláide, criospaí agus cístí, ní dhéanadh sé sin sona sí. Chuireadh sé an smoineamh ina ceann nach raibh grá ag duine ar bith di.

Dúirt sí le Mr Lofa gur bhreá léi dá seasfadh a daid an fód ó am go chéile. Go mbíodh sé deacair aici cairde a dhéanamh mar go raibh sí cúthail. Gur thaitin léi bheith ag cumadh scéalta seanchas rud ar bith eile a dhéanamh, ach gur chuir sé sin olc ar a máthair. Agus go raibh a cuid ama ar scoil uafásach mar gheall ar Rosamund.

Liosta an-fhada go deo a bhí ann, ach d'éist Mr Lofa go cúramach léi fad a bhí ceol bríomhar na Nollag á sheinm sa chúlra. Do dhuine a chaith a chuid laethanta ar bhinse agus gan mar chuideachta aige ach madra beag dubh, bhí sé an-chiallmhar. Bhí an chuma air gur thaitin leis a bheith ag éisteacht agus ag caint agus ag cuidiú. Ní stopadh mórán duine ar bith riamh le labhairt le Mr Lofa agus bhí sé an-sásta bheith ina shuí le Chloe agus comhrá ceart a dhéanamh.

Dúirt sé le Chloe, "Inis do do mháthair go bhfuil tú míshásta. Tá grá aici duit agus tá mé cinnte nach bhfuil uaithi ach go mbeifeá sona." Agus, "...triail rud éigin spraíúil a dhéanamh le do dheirfiúr." Agus, "...cén fáth nach n-insíonn tú do dhaid faoin mbealach a airíonn tú?"

Sa deireadh thiar, d'inis sí dó go raibh a scéal faoi na vaimpírí scriosta ag a máthair. Rinne sí gach iarracht gan caoineadh.

"Tá sé sin uafásach, a chroí," arsa Mr Lofa. "Caithfidh go raibh tú trína chéile."

"Is fuath liom í," arsa Chloe. "Is fuath liom mo mháthair."

"Ná habair é sin," arsa Mr Lofa.

"Ach tá sé fíor."

"Tá tú an-fheargach léi, cinnte, ach tá grá aici duit, cé nach dtaispeánann sí é."

"B'fhéidir." Chroith Chloe a guaillí. Níor chreid sí é. Ach d'airigh sí níos fearr tar éis gach rud a insint dó. "Go raibh maith agat as éisteacht liom," ar sí.

"Ní maith liom cailín óg mar thú a fheiceáil chomh brónach seo," arsa Mr Lofa. "B'fhéidir go bhfuil mé sean, ach tá cuimhne mhaith agam ar m'óige. Tá súil agam gur chabhraigh mé leat."

"Chabhraigh tú go mór liom."

Rinne Mr Lofa meangadh, sular ól sé an chuid dheireanach dá leacht lofa. "An-bhlasta! Anois b'fhearr dúinn airgead a fhágáil." Chuardaigh sé a phócaí i gcomhair sóinseáil. "Mo dhiomú dó, ní fheicim an praghas ar an gclár gan mo spéaclaí. Ba cheart go mbeadh mo dhóthain i sé pingin. Agus dhá phingin don fhreastalaí. Beidh sí sásta leis sin. Beidh sí in ann ceann de na fístéipeanna nua-aimseartha sin a cheannach di féin leis. Anois, ceapaim go bhfuil sé in am baile, a chroí."

Bhí an bháisteach stoptha nuair a d'fhág siad an siopa caife agus síos an bóthar leo.

"Babhtálfaidh muid áit," arsa Mr Lofa.

"Cén fáth?"

"Mar gur cheart do chailín siúl ar an taobh istigh den chosán i gcónaí agus an fear ar an taobh amuigh."

"I ndáiríre," arsa Chloe. "Cén fáth?"

"Bhuel," arsa Mr Lofa, "tá an taobh amuigh níos contúirtí mar gheall ar na carranna. Chomh maith leis sin, bhíodh daoine fadó ag folmhú a bpotaí seomra amach ón bhfuinneog ar an mbóthar agus ba é an duine taobh amuigh a bhí i mbaol a bháite!"

"Céard é pota seomra?" arsa Chloe.

"Bhuel fadó, d'úsáid daoine pota faoin leaba in áit dul chuig an leithreas san oíche."

"Uch! Tá sé sin gránna. Mar sin a bhí sé nuair a bhí tusa beag?"

Rinne Mr Lofa gáire. "Níl mé chomh sean sin, a stór. Sa séú haois déag! Anois, Miss Chloe, isteach leat ar an taobh istigh."

Thaitin an uaisleacht seo le Chloe agus rinne sí meangadh sular bhabhtáil sí áit leis.

Choinnigh siad orthu ag spaisteoireacht leo thar na siopaí a bhí ag iarraidh barr a bhaint dá chéile lena maisiúcháin Nollag. Go tobann, chonaic Chloe Rosamund ag teacht ina dtreo agus ualach málaí siopadóireachta á n-iompar aici.

"An féidir linn dul trasna an bhóthair? Go tapa," arsa Chloe i gcogar neirbhíseach.

"Cén fáth? Céard atá ort, a stór?"

"Sin í an cailín ón scoil a raibh mé ag caint uirthi. Rosamund."

"An ceann a chuir an comhartha ar do dhroim?"

"Sea, ise."

"Caithfidh tú an fód a sheasamh," a d'fhógair Mr Lofa. "Beidh uirthi siúd dul trasna an bhóthair!"

"Ná hoscail do bhéal le do thoil," a d'impigh Chloe.

"Ach cé hé seo? Do bhuachaill nua?" arsa Rosamund ag gáire. Ach ní gáire le greann a bhí ann, mar a dhéanann daoine nuair a deirtear rud éigin greannmhar. Fuaim álainn í sin. Gáire le mailís a bhí anseo. Gáire cruálach. Fuaim ghránna.

D'fhan Chloe ina tost agus a cloigeann fúithi.

"Thug Daidí €500 dom le rud éigin deas a cheannach dom féin i gcomhair na Nollag," arsa Rosamund. "Chaith mé ar fad é in Topshop. Is mór an trua go bhfuil tú róramhar le héadaí a cheannach ann".

Lig Chloe osna. Bhí cleachtadh aici air seo.

"Ná lig di labhairt leat mar sin," arsa Mr Lofa.

"Cén bhaint atá aige leatsa, a sheanleaid?" arsa Rosamund go fonóideach. "Ag crochadh thart le seantrampanna anois, a Chloe. Is mór an trua thú. Ar thóg sé i bhfad ort an comhartha a fheiceáil ar do dhroim?"

"Ní fhaca sí é," arsa Mr Lofa. "Mise a fuair é agus níor cheap mé go raibh sé greannmhar."

"Nár cheap anois?" arsa Rosamund. "Bhuel cheap na cailíní eile ar fad go raibh!"

"Bhuel, tá siad sin chomh gránna leatsa," arsa Mr Lofa.

"*Céard?*" arsa Rosamund. Ní raibh cleachtadh aici ar dhaoine bheith ag caint léi mar sin.

"Dúirt mé go bhfuil siad sin chomh gránna leatsa," ar sé, níos airde an t-am seo. "Níl ionat ach bulaí beag." D'airigh Chloe an-imníoch. Níor thaitin achrann léi.

Mar bharr ar an donas, tháinig Rosamund níos gaire, go raibh sí díreach os comhair Mr Lofa. "Abair é sin le m'éadan, a rud bréan!"

D'fhan Mr Lofa ina thost ar feadh tamaill. Ansin d'oscail sé a bhéal agus rinne sé brúcht mór, lofa, gránna.

"BBBBBBBBBBBBBBBB BBBBBBBBBBBBBBBBB BBBBBBBBBBBBBBBBB BBBBBBRRRRRRRRRR RRRRRRRRRRRRRRR RRRRRRRRRRRRRRR

ÚÚÚÚÚÚÚÚÚÚÚÚÚÚÚ
ÚÚÚÚÚÚÚÚÚÚÚÚÚÚÚ
CCCCCCCCCCCCCC
CCCCCCCCCCCCCCC
CCCCCHHHHHHHHH
HHHHHHHHHHHHHH
HHHHTTTTTTTTTTT
TTTTTTTTTTTTTTTT!!!
!!!!!!!!!!!!!!!!!!!!!!!"

Tháinig dath liath ar éadan Rosamund. Bhí sí plúchta ag an mboladh bréan de chaife agus ispíní agus glasraí lofa tógtha as boscaí bruscair. Chas Rosamund ar a sáil agus theith sí. Bhí an oiread deifir uirthi agus í ag éalú uathu gur thit a cuid málaí uaithi.

"Bhí sé sin an-bharrúil!" arsa Chloe, ag gáire.

"Ní raibh sé i gceist agam brúcht a dhéanamh. Tá sé an-mhímhúinte. Dia linn! Caithfidh tú seasamh suas duit féin an chéad uair eile Miss Chloe. Níor cheart cead a gcinn a thabhairt do bhulaithe."

"Ceart go leor…" arsa Chloe. "Bhuel… an bhfeicfidh mé amárach thú?"

"Más maith leat," ar sé.

"Ba bhreá liom."

"Mise freisin!" ar sé agus a shúile ar lasadh.

Ag an nóiméad sin, chuaigh jíp mór thar bráid. Isteach leis na boinn mhóra i lochán a bhí le taobh na beirte agus bádh Mr Lofa go craiceann.

Agus uisce ag doirteadh óna chuid spéaclaí, chrom sé a chloigeann. "Agus sin an fáth," ar sé, "ar cheart d'fhear uasal siúl ar an taobh amuigh den chosán."

"Ar a laghad ní pota seomra a bhí ann," arsa Chloe agus í ag gáire.

6

Brocach Bréan

Maidin lá arna mhárach, d'oscail Chloe a cuirtíní agus chonaic sí go raibh 'Ó' mór agus 'V' mór greamaithe dá fuinneog. Amach léi chun é a fhiosrú.

Bhí 'VÓTÁIL CRÓSTA!' litrithe amach i litreacha móra ar fhuinneoga an tí. Amach le hÉilís an cat agus 'Crósta Uimhir a hAon' ar a coiléar aici.

Ansin tháinig Annabelle amach as an teach agus sceitimíní áthais uirthi, rud a chuir olc ar Chloe ar an bpointe.

"Céard atá ar siúl agat?" arsa Chloe.

"Mar gheall gur mise an iníon is fearr léi, d'iarr Máthair orm na bileoga seo a scaipeadh ar gach uile theach ar an tsráid. Tá sí ag seasamh sa toghchán, nach cuimhin leat?"

"Tabhair dom í sin," arsa Chloe agus í ag síneadh amach a lámh. Ní raibh 'más é do thoil é' ná 'go raibh maith agat' riamh idir na deirfiúracha.

Bhain Annabelle uaithi arís í. "Níl mé ag cur

ceann amú ortsa!" ar sí le nimh.

"Tabhair dom í!" Thóg Chloe uaithi arís í. B'shin rud amháin a bhain le bheith ar an duine is sine – bhí Chloe níos láidre ná a deirfiúr. D'imigh Annabelle leis an gcuid eile de na bileoga agus pus uirthi. Isteach le Chloe sa teach arís agus í ag léamh na bileoige. Bhí a cosa fliuch le drúcht na maidine. Bhí Máthair i gcónaí ag caint ar pholaitíocht agus ar na rudaí iontacha ar fad a dhéanfadh sise dá mbeadh sí i gceannas ar an tír. Ach cheap Chloe go raibh an rud ar fad an-leadránach agus uair ar bith ar thosaigh Máthair ar an gcineál sin cainte, stop Chloe ag éisteacht léi agus thosaigh sí ag smaoineamh ar rudaí eile a bhí i bhfad níos suimiúla.

Ar thosach na bileoige bhí grianghraf den Mháthair agus cuma an-dáiríre uirthi. Bhí péarlaí ar a muineál agus a cuid gruaige chomh chomh crua ag an sprae gruaige ar fad a bhí inti, go mbeadh sí ina caor thine dá lasfá cipín in aici léi. Taobh istigh den bhileog bhí liosta fada dá polasaithe.

1) Cuirfiú chun a chinntiú go mbeidh gach páiste faoi 30 sa leaba agus na soilse múchta faoina 9pm.

2) Cumhacht do na Gardaí chun daoine a labhraíonn ró-ard go poiblí a ghabháil.

3) Daoine a chaitheann bruscar a dhíbirt as an tír.

4) Cosc ar luiteoga a chaitheamh in áiteanna poiblí mar go bhfuil siad míshibhialta.

5) An t-amhrán náisiúnta le seinm i lár an bhaile gach uair an chloig ar bhuille na huaire. Gach duine ina seasamh. Fiú iad siúd

i gcathaoireacha rothaí, chaithfidís seasamh suas go díreach ar nós gach duine eile.

6) Madraí ar iall i gcónaí. Fiú agus iad istigh sa teach.

7) Stocaí ar gach duine ag an linn snámha áitiúil, chun cosc a chur ar scaipeadh galair. Ba cheart go gcuirfeadh sé sin deireadh le vearúcaí agus a leithéid go hiomlán.

8) Deireadh le geamaireacht na Nollag de bharr a mhéid gáirsiúlachta a bhíonn ann (an iomarca jócanna faoi thóineanna ann. Tá tóin ag gach duine agus ní gá a insint dúinn cad a thagann astu agus an boladh a bhíonn astu agus an torann a dhéanann siad).

9) Beidh gá freastal ar an séipéal gach maidin

Domhnaigh. Agus nuair a rachaidh tú ann beidh ort na hiomainn a rá i gceart, seachas bheith ag oscailt agus ag dúnadh do bhéil nuair a bhíonn an t-orgán á sheinm.

10) Ceol clasaiceach amháin a bheidh ceadaithe mar cheol ó fhón póca agus é ag glaoch. Rud éigin ar nós Mozart nó stuif le duine eile de na cumadóirí. Ní bheidh popcheol ceadaithe ag am ar bith.

11) Deireadh le hairgead a thabhairt amach do dhaoine nach bhfuil aon obair acu. Is orthu féin amháin atá an milleán go bhfuil leadaithe as obair. Cén fáth a mbeadh muide ag íoc astu bheith ina suí sa bhaile ag féachaint ar *The Jeremy Kyle Show*?

12) Dealbha móra, déanta as cré-umha, de na

polaiteoirí is tábhachtaí ar fad le cur in airde i ngach páirc phoiblí sa tír.

13) Cosc ar thatúnna. Seachas ar mhairnéalaigh. Is féidir aon tatú atá ort a thabhairt ar lámh gan phionós do do Gharda áitiúil.

14) Plátaí agus sceanra cearta le húsáid i mbialanna mearbhia. Beidh bia á dháileadh ag freastalaithe seachas é a bheith á ordú ag an gcuntar. Cosc ar bhurgair. Agus ar sceallóga. Agus ar chnaipíní sicín. Agus na toirtíní úll a bhíonn róthe sa lár.

15) Ní bheidh ach leabhair Beatrix Potter sa leabharlann áitiúil. Seachas *The Tale of Mr Jeremy Fisher* mar go bhfuil an píosa ina slogann an breac Mr Fisher ró-scanrúil.

16) Crá croí iad na cluichí peile sa pháirc áitiúil. Cosc ar liathróidí cearta, liathróidí samhailteacha amháin as seo amach.

17) Scannáin dheasa amháin a bheidh sa phictiúrlann áitiúil. Seanscannáin ina mbíodh daoine ardnósacha a bhíodh róchúthail le breith ar lámha a chéile.

18) An cochall le gearradh de gach geansaí déagóra ionas nach mbeidh siad in ann bheith ag siúl thart i ngrúpaí go bagrach.

19) Loiteann cluichí físe an inchinn. Cluichí físe (nó cluichí ríomhaire nó cluichí consóil cibé cén t-ainm atá ar na diabhail de rudaí) le himirt idir 4pm agus 4.01pm amháin.

20) Ar deireadh, gach duine gan dídean, nó

iad siúd atá brocach bréan, le díbirt ó na sráideanna. Tá siad an-chontúirteach agus, níos measa fós, bíonn drochbholadh uathu.

Thit Chloe ina cnap ar an tolg nuair a léigh sí na habairtí deireanacha sin. Bhí díoscán mór ón tolg. Bhí an plaisteach fágtha air ag Máthair chun é a choinneáil chomh glan leis an lá ar ceannaíodh é, rud a d'fhág go raibh an tolg an-mhíchompordach. Agus d'éireodh do thóin an-te dá mbeifeá i do shuí air ar feadh tamaill fhada.

Céard faoi mo chara nua, Mr Lofa? a smaoinigh Chloe. *Céard a tharlóidh dó? Agus don Bhandiúc? Más rud é go ndíbreofar ó na sráideanna iad, cén áit faoin spéir a rachaidh siad?*

Ansin nóiméad ina dhiaidh sin, *Abha, tá mó thóin greamaithe don phlaisteach seo.*

Shiúil sí suas an staighre chuig a seomra agus

í scólta. Shuigh sí ar a leaba ag féachaint amach an fhuinneog. Ní raibh sé éasca aici cairde a dhéanamh mar go raibh sí cúthail. Anois bhí an t-aon chara a bhí aici le díbirt as an mbaile. Go deo b'fhéidir.

D'fhéach sí amach ar an spéir mhór ghorm agus ansin d'fhéach sí síos. Bhí an freagra ag bun an ghairdín.

An tseid.

7

Buicéad sa Chúinne

Bhí sé seo le coinneáil faoi rún. D'fhan Chloe go raibh sé dorcha agus ansin threoraigh sí Mr Lofa agus an Bandiúc síos an tsráid sular éalaigh siad go ciúin isteach trí gheata cúil go dtí an gairdín.

"Níl ann ach seid..." arsa Chloe go leithscéalach agus iad ag dul isteach ina theach nua. "Tá brón orm nach bhfuil aon ensuite ann, ach tá buicéad sa chúinne ar chúl an lomaire féir. Beidh tú in ann é a úsáid má bhíonn ort dul chuig an leithreas i lár na hoíche..."

"Bhuel, nach tú atá go lách, a stór," arsa Mr Lofa, agus meangadh air. Rinne an Bandiúc tafann buíochais. "Anois," arsa Mr Lofa, "an bhfuil tú cinnte gur cuma le do mháthair agus d'athair? Níor mhaith liom bheith ag cur as dóibh."

D'alp Chloe agus í neirbhíseach faoin mbréag a bhí á hinsint aici. "Cinnte... cinnte... is cuma leo. Tá aiféala orthu nach bhfuil siad in ann bheith anseo anocht chun bualadh leat go pearsanta iad féin, ach tá an bheirt acu an-ghnóthach go deo."

Bhí an t-am pioctha go cúramach ag Chloe le Mr Lofa a shocrú isteach. Bhí a Máthair amuigh ag stocaireacht agus bhí a Daid ag piocadh suas Annabelle óna rang iomrascála.

"Bhuel, ba bhreá liom casadh leo," arsa Mr Lofa, "agus feiceáil cén sórt dream a chruthaigh iníon chomh dea-chroíoch agus chomh tuisceanach." Beidh sé seo i bhfad níos teo ná an binse.

Rinne Chloe meangadh cúthaileach.

"Tá brón orm go bhfuil an oiread seanbhoscaí istigh anseo," ar sí. Thosaigh sí á mbogadh chun spás a dhéanamh dó agus thug Mr Lofa cúnamh di, é ag leagan cuid de na boscaí ar mhullach a chéile. Nuair a bhog siad an bosca deireanach, stop Chloe. Ag sacadh amach as an mbosca bhí seanghiotár leictreach agus é dóite. D'fhéach sí air ar feadh nóiméid agus ansin thosaigh sí ag tochailt sa bhosca. Bhí ualach sean-dlúthdhioscaí ann agus iad uile mar a chéile. Na céadta cóipeanna de *Tine ar do Chraiceann* leis Na Nathracha Nimhe.

"Ar chuala tú faoin mbanna ceoil seo riamh?" ar sí.

"Faraor, níl mórán cur amach agam ar cheol tar éis 1958."

D'fhéach Chloe ar an bpictiúr ar an gclúdach. Ceathrar fear le gruaig fhada agus seaicéid leathair. Bhí léaráid de nathair nimhe faoin bpictiúr. D'fhéach sí ar an ngiotáraí. Bhí sé an-chosúil lena daid ach amháin go raibh mullach mór gruaige air, í catach agus dubh.

"Ní chreidim é!" arsa Chloe. "Sin é mo dhaid. Tá mé beagnach cinnte de."

Ní raibh a fhios aici riamh go mbíodh gruaig chatach air, gan trácht ar é a bheith i mbanna ceoil! Ní raibh sí cinnte cé acu ba dheacra a chreidiúint - go mbíodh mullach cata gruaige air tráth nó go mbíodh sé ag casadh ceoil ar ghiotár leictreach.

"I ndáiríre?" arsa Mr Lofa.

"Ceapaim é," arsa Chloe. "Tá sé an-chosúil leis ar aon nós." Bhí sí fós ag scrúdú chlúdach an albaim le meascán de bhród agus de náire.

"Bhuel, tá rún ag gach duine, Miss Chloe.

Anois céard a dhéanfaidh mé má bhím ag iarraidh cupán tae nó ceapaire ispíní ar arán úr le hanlann donn? An bhfuil cloigín ann le bualadh agus fios a chur ar dhuine éigin le freastal a dhéanamh orm?"

D'fhéach Chloe air le hiontas. Níor thuig sí go mbeadh uirthi bia a thabhairt dó freisin.

"Uth, níl aon chloigín ann," ar sí. "An bhfeiceann tú an fhuinneog sin thuas? Sin é mo sheomra codlata."

"Sea?"

"Bhuel, má bhíonn rud éigin ag teastáil uait, scal an seantóirse rothair seo suas ar m'fhuinneog. Ansin, tiocfaidh mé anuas agus... uth... tógfaidh mé d'ordú."

"Thar cionn!" a d'fhógair Mr Lofa.

Bhí an tseid beag mar spás agus ba ghearr go raibh sé líonta ag boladh fíorláidir. Cheap Chloe go raibh an boladh an-dona go deo inniu. Níos measa ná an gnáthbholadh uafásach bréan a bhíodh ó Mr Lofa. "Ar mhaith leat cith a bheith agat sula bhfillfidh gach duine?" arsa Chloe le dóchas. "Nó b'fhéidir gurbh fhearr leat dul isteach san fholcadán?" D'fhéach an Bandiúc suas ar a máistir agus deora ina súile leis an mboladh lofa.

"Fan go bhfeicfidh mé..."

Rinne Chloe meangadh leis, í ag súil go mbeadh sé sásta é féin a ní.

"Ceapaim go bhfágfaidh mé é go dtí an chéad mhí eile."

"Ó," arsa Chloe go díomách. "An bhfuil aon rud eile uait?"

"An bhfuil biachlár ann don tae iarnóna, b'fhéidir?"

"An bhfuil aon scónaí tae, nó cácaí nó cistí beaga Francacha agat?" arsa Mr Lofa.

"Uth... níl," arsa Chloe. "Ach céard faoi

chupán tae agus cúpla briosca? Agus tá mé cinnte go bhfuil roinnt bia cait ann. D'fhéadfainn é sin a thabhairt don Bhandiúc, b'fhéidir?"

Tá mé réasúnta cinnte gur madra í an Bandiúc, agus ní cat," arsa Mr Lofa.

"Tá a fhios agam, ach níl againne ach cat agus bia do chait."

"Bhuel, d'fhéadfá dul isteach chuig Raj amárach agus bia do mhadra a cheannach di. Tá a fhios ag Raj cén ceann is maith léi." Chuir Mr Lofa a lámh ina phóca. "Seo píosa deich bpingine. Féadfaidh tú an tsóinseáil a choinneáil."

D'fhéach Chloe ar a lámh agus seanchnaipe a bhí tugtha aige di.

"Go raibh míle maith agat, a chailín chóir," ar sé. "Agus ná déan dearmad bualadh ar an doras nuair a thiocfaidh tú ar ais ar fhaitíos go bhfuil mé ag athrú isteach i mo chuid pitseámaí."

Céard atá déanta agam? arsa Chloe léi féin

agus í ar a bealach isteach sa teach. Bhí mearbhall uirthi agus í ag smaoineamh ar cá as a dtáinig an fear seo, ach ní raibh aon fhreagra aici. Ar spásaire é a raibh a chuimhne caillte aige nuair a bhuail sé a cheann ar an talamh? Nó an raibh tríocha bliain caite aige i bpríosún as coir nach ndearna sé? Nó foghlaí mara ar cuireadh iallach air an clár a shiúl thar taobh an bháid agus a tháinig i dtír go slán sábháilte, in ainneoin an t-uisce bheith beo le siorcanna móra contúirteacha?

Rud amháin a bhí cinnte, bhí drochbholadh ceart uaidh. Bhí an bréantas fós ina polláirí nuair a shroich sí doras an tí. Bhí na plandaí sa ghairdín ag lagú leis an mboladh lofa. Bhí siad ag cromadh i dtreo an tí amhail is go raibh siad ag iarraidh fanacht i bhfad ón tseid. *Ar a laghad tá sé sábháilte*, arsa Chloe léi féin. *Agus te, teolaí – anocht ar aon nós.*

A luaithe a shroich sí a seomra, chonaic sí go

raibh sé ag scaladh an tsolais cheana féin.

"Brioscaí le subh sméara dubha iontu le huachtar, le do thoil!" a bhéic Mr Lofa aníos. "Go raibh míle maith agat!"

8

An Draein is Dócha

"Céard é an boladh sin?" arsa Máthair go borb agus í ag teacht isteach sa chistin. Bhí sí amuigh i mbun stocaireachta ó mhaidin. Bhí sí gléasta go hard na spéire agus cuma an-ghalánta uirthi ach bhí a srón san aer aici anois agus déistin uirthi.

"Cén boladh?" arsa Chloe go drogallach, amhail is go raibh an t-aer go hálainn glan ina timpeall.

"Caithfidh go bhfaigheann tú é, a Chloe. An boladh a chuireann sé i gcuimhne dom ná... bhuel, ní fhéadfadh bean chomh huasal liom féin a rá cén rud a chuireann sé i gcuimhne

dom, bheadh sé sin mímhúinte ó dhuine chomh
huasal liom féin, ach is cinnte go bhfuil sé an-
bhréan." Tharraing sí isteach a hanáil arís agus
uafás níos measa uirthi anois. "Ó, go sábhála
Dia sin, tá mé plúchta." Ar smaoinigh
tú riamh ar cén chuma atá ar bholadh
bréan? Bhuel, breathnaíonn sé
cosúil leis seo...

Mar a bheadh drochscamall
mór donn ann, bhí an
boladh tagtha trí
bhallaí na seide, ag
baint anuas an phéint

An Draein is Dócha

a choinníodh an t-adhmad ó bheith ag lobhadh faoin mbáisteach. Trasna an ghairdín leis an mboladh agus isteach trí dhoras an chait sular shocraigh sé síos go bagrach sa chistin.

Ó, is mór an ghráin é. Má chuireann tú do shrón ar an leathanach, is beag nach bhfaighfeá é.

"An draein is dócha," arsa Chloe.

"Sea, is dócha go bhfuil an draein ag cur thar maoil arís. Ní tharlóidh sé sin nuair a bheidh mise i mo Phríomh-Aire. Tá iriseoir ó The Times ag teacht chun agallamh a dhéanamh liom maidin amárach. Ní mór duitse bheith deas béasach nuair a bheidh sé anseo. Tá mé ag iarraidh go gceapfaidh sé gur gnáth-theaghlach muid."

Gnáth-theaghlach?! arsa Chloe léi féin.

"Beidh na vótálaithe ag iarraidh a fheiceáil go bhfuil teach sona againn. Ach caithfear fáil réidh leis an mboladh gránna seo roimhe sin."

"Sea..." arsa Chloe. "Tá mé cinnte go mbeidh. A Mháthair, an raibh Daid – Athair, atá i gceist agam – i mbanna ceoil riamh?

D'fhéach a Máthair uirthi go grinn. "Céard air sa diabhal a bhfuil tú ag caint, a chailín? Cá bhfaighfeá smaoineamh mar sin?"

Shlog Chloe. "Níl ann ach go bhfaca mé pictiúr de Na Nathracha Nimhe agus d'fhéach duine acu cosúil le –"

Tháinig dath an bháis ar a máthair. "Seafóid!"ar sí. "Céard atá tagtha ort ar chor ar bith?" Shocraigh sí a mullach gruaige lena lámha, amhail duine a bhí tar éis éirí neirbhíseach faoi rud éigin. "D'athair i mbanna ceoil! Cóipleabhar lán le scéalta beaga seafóideacha agus anois é seo!"

"Ach -"

"Ná bac le 'ach', a chailín. Níl's agam céard a dhéanfaidh mé leat ar chor ar bith."

Bhí Máthair spréachta ceart anois. Níor thuig
Chloe cén fáth.

"Bhuel, gabh mo leithscéal as labhairt," ar sí
go pusach.

"Sin é!" a bhéic Máthair. "Suas leat a chodladh
anois díreach!"

"Níl sé ach leathuair tar éis a sé!" arsa Chloe.

"Is cuma liom! Suas leat!"

Ní raibh Chloe in ann codladh. Ní hamháin
go raibh sé an-luath go deo, ach bhí imní uirthi
mar go raibh tramp ina chónaí sa tseid. Chonaic
sí solas ag scaladh isteach agus d'fhéach sí ar an
gclog. Bhí sé a 2.11am. Céard a bheadh uaidh an
t-am seo d'oíche?

Bhí cuma chompordach curtha ag Mr Lofa ar
an tseid. Bhí leaba déanta aige as sean-nuachtáin.
Bhí seanbhrat urláir aige mar phluid agus bhí
mála mór créafóige leagtha síos aige mar philliúr.
Bhí cuma leathchompordach air. Bhí ciseán don

Bhandiúc déanta aige as seanphíobán uisce a bhí casta timpeall air féin. Bhí seanphota planda

lena thaobh mar bhabhla uisce. Bhí portráidí de dhaoine tarraingthe aige le cailc ar bhallaí na seide mar a d'fheicfeá i músaem staire nó i seanteach mór galánta. Bhí fiú amháin fuinneog le cuirtíní agus radharc ar an bhfarraige tarraingthe aige ar bhalla amháin.

"Tá tú ar do chompord, feicim," arsa Chloe.

"Ó, sea, tá mé faoi chomaoin agat, a stór. Is breá liom é. Tá m'áitín féin agam sa deireadh."

"Tá áthas orm é sin a chloisteáil."

"Anois," arsa Mr Lofa. "Chuir mé fios ort, a Miss Chloe, mar nach bhfuil mé in ann codladh agus ba mhaith liom dá léifeá scéal dom."

"Scéal? Cén sórt scéil?"

"Suas agat féin, a chroí. Ach ní ceann do chailín, más é do thoil é..."

Rith Chloe suas an staighre go dtí a seomra. Bhí a fhios aici go díreach cé na céimeanna a rinne díoscán agus sheachain sí iad sin. Dá bhfanfadh sí amach uathu, bhí a fhios aici nach gcloisfí í. Dá ndúiseodh Annabelle, bheadh sí i dtrioblóid mhór. Agus ní gnáth-thrioblóid a bheadh ann, mar a tharlaíonn nuair a déanann tú dearmad ar d'obair bhaile. Trioblóid thar a bheith tromchúiseach a bheadh ann. Léiríonn an

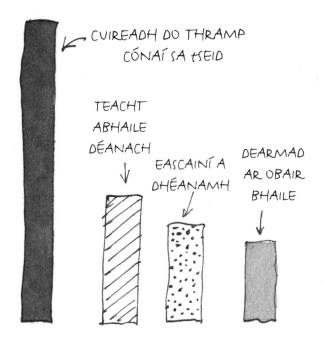

CUIREADH DO THRAMP CÓNAÍ SA TSEID

TEACHT ABHAILE DÉANACH

EASCAINÍ A DHÉANAMH

DEARMAD AR OBAIR BHAILE

léaráid seo scála na trioblóide:

Nó, má fhéachann tú ar an léaráid Venn thuas, feicfidh tú gurb ionann léaráid A is 'trioblóid' agus léaráid B is 'trioblóid mhór'

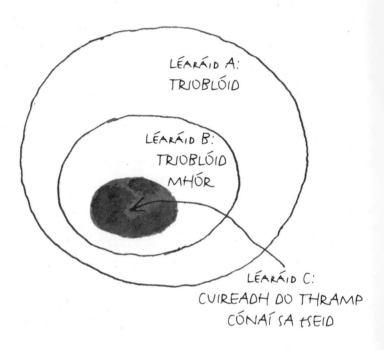

LÉARÁID A:
TRIOBLÓID

LÉARÁID B:
TRIOBLÓID
MHÓR

LÉARÁID C:
CUIREADH DO THRAMP
CÓNAÍ SA tSEID

agus gurb ionann an réimse daite is cuireadh a thabhairt do thramp cónaí sa tseid, ar fochuid de léaráid B é.

Tá súil agam go bhfuil sé sin soiléir anois.

Chuardaigh Chloe a seilf leabhar taobh thiar de na héiníní beaga ornáideacha a bhí á mbailiú aici. (Cheannaigh aintín léi ceann di. Chonaic aintín eile léi é agus cheannaigh sise ceann eile di. Ansin, thosaigh a cuid aintíní ar fad á gceannach di. Bhí na mílte acu aici. Éiníní, ní aintíní.)

D'fhéach sí ar na leabhair. Cinn do chailíní ar fad a bhí ann. Ualach leabhar bándearg. Cosúil leis an bpéint ar an mballa. Bhí an ghráin aici ar bhándearg, ach ní hí a roghnaigh é. Roghnódh sise dubh dá bhféadfadh sí é. Níor cheannaigh a máthair ach leabhair di faoi chapaill, banphrionsaí, bailé agus cailíní seafóideacha as Meiriceá nach raibh suim acu i rud ar bith ach gúna deas a fháil don phrom. Níor thaitin aon cheann acu léi, agus bhí sí cinnte nach mbeadh suim ag Mr Lofa iontu ach an oiread.

Bhí a scéal féin stróicthe ina phíosaí ag a máthair. Ní bheadh sé seo éasca.

Síos léi an staighre arís agus bhuail sí go ciúin ar dhoras na seide.

"Cé atá ansin?" arsa an glór amhrasach.

"Mise, Chloe, ar ndóigh."

"Bhí mé i mo chodladh! Céard atá uait?"

"D'iarr tú orm scéal a léamh duit."

"Ó, bhuel, ó tharla go bhfuil mé i mo dhúiseacht anois..."

Thóg Chloe anáil amháin dheireanach den aer úr agus isteach léi.

"Iontach!" arsa Mr Lofa. "Is breá liom scéal maith."

"Bhuel, tá brón orm, ach níor éirigh liom rud ar bith sásúil, nach raibh bándearg, a aimsiú," arsa Chloe.

"Ó, is mór an trua," arsa Mr Lofa agus díomá air ar feadh soicind. Ansin, dúirt sé, "Céard faoi cheann de do scéalta féin?"

"Mo scéalta?"

"Sea, dúirt tú liom go gcumann tú iad."

"Ach, ní fhéadfainn... bhuel... mura dtaitníonn

sé leat?" Bhí cnap i mbolg Chloe le sceitimíní agus eagla.

"Tá mé cinnte go dtaitneoidh," arsa Mr Lofa. "Ach ní bheidh a fhios agat é mura dtriailfidh tú."

"Tá sé sin fíor," arsa Chloe. Bhí sí idir dhá chomhairle, ach ansin, "An maith leat vaimpírí?"

"Bhuel, níl aon aithne agam ar aon cheann."

"Ach ar mhaith leat scéal faoi vaimpírí? Vaimpírí ar múinteoirí iad. A bhaineann an fhuil as a gcuid daltaí..."

"An é seo an scéal a stróic do mháthair?"

"Uth... is é," arsa Chloe go brónach. "Ach tá sé fós i mo chloigeann."

"Bhuel, ba bhreá liom é a chloisteáil."

"I ndáiríre?"

"Cinnte!"

"Ceart go leor," arsa Chloe. "Sín chugam an tóirse."

Chuir Chloe an tóirse faoina smig chun cuma

scanrúil a chur uirthi féin.

"Fadó, fadó..." ar sí sular chaill sí a misneach.

"Sea?"

"Fadó, fadó... ó, níl mé in ann! Tá brón orm."
Bhí an ghráin ag Chloe bheith ag léamh os ard
sa rang.

Théadh sí i bhfolach faoina deasc chun é a
sheachaint. Bhí sé seo níos scanrúla fós. Bhí sé
seo níos pearsanta agus níos príobháidí agus ní
raibh sí réidh lena roinnt.

"Le do thoil, a Miss
Chloe," arsa Mr Lofa go
spreagúil. "Ba bhreá
liom é a chloisteáil.
Anois, coinnigh ort -
fadó, fadó..."

Thóg sí anáil
mhór. "Fadó, fadó, bhí
an cailín seo ann agus bhí

an ghráin aici ar an scoil. Ní mar gheall ar na ranganna, ach go raibh na múinteoirí ar fad ina vaimpírí..."

"Tús iontach!"

Rinne Chloe meangadh agus lean sí uirthi. Ní fada go raibh sí faoi lán seoil agus í ag cur glórtha uirthi féin dá carachtair, Lile, agus a cara, Justin, ar bhain duine de na múinteoirí greim aisti Ba í an príomhoide, an Mháistreás Smúit, an ceannaire a bhí orthu.

Lean an scéal ar aghaidh tríd an oíche. Díreach roimh éirí na gréine, chuir Lile a camán trí chroí an phríomhoide.

"...shil fuil an Mháistreása Smúit amach ar fud an halla go raibh an áit dearg. An deireadh."

Mhúch Chloe an tóirse agus rinne sí iarracht a súile a choinneáil ar oscailt.

"A leithéid d'eachtra," a d'fhógair Mr Lofa. "Is fada liom go gcloisfidh mé leabhar a dó."

"Leabhar a *dó*?"

"Sea," arsa Mr Lofa. "Is cinnte go mbeadh ar Lile bogadh chuig scoil eile ó tharla gur mharaigh sí an príomhoide. Scoil lán le zombaithe!"

"Sin *an-smaoineamh*!" arsa Chloe léi féin.

9

Pislíní

D'fhéach Chloe ar an gclog agus í ag dul isteach sa leaba. 6.44am. Ní raibh sí ina suí chomh déanach seo riamh. Ní fiú go ndeachaigh *daoine fásta* a chodladh chomh mall seo. Seachas corrdhuine dána nó corrdhuine mór le rá – réaltaí rac agus a leithéid. Dhún sí a súile ar feadh soicind.

"Chloe? *Chloeee?* Dúisigh! *Chloeeeee?*" a bhéic Máthair ó taobh amuigh den doras. Bhuail sí ar an doras trí huaire. Ansin bhuail sí arís. Bhain an ceathrú bualadh ar an doras stangadh as Chloe mar nach raibh aon súil aici leis. D'fhéach Chloe ar an gclog arís.

6.45am. Bhí lá iomlán, nó nóiméad iomlán, codlata aici – ní raibh sí cinnte cé acu. Ach gach seans gur nóiméad amháin a bhí ann.

"*Céééeard...?*" ar sí i nglór slóchtach. Bhain fuaim a glóir geit aisti. Glór domhain, garbh a bhí aici ar maidin, mar a bheadh ag seanmhianadóir guail a bhí tugtha do na toitíní. B'in an bhail a d'fhág scéalaíocht na hoíche aréir ar a guth.

"Ná bac le 'céard', a chailín! Tá sé in am agat éirí. Tá tríatlan déanta ag do dheirfiúr cheana féin ar maidin. Anois éirigh. Teastaíonn do chúnamh uaim ag stocaireacht!"

Bhí Chloe chomh tuirseach gur airigh sí go raibh sí greamaithe don leaba agus nach n-éireodh sí arís go deo. Shleamhnaigh sí amach agus shnámh sí chuig an seomra folctha. D'fhéach sí sa scáthán agus cheap sí ar feadh soicind gurbh í a mamó a bhí ag féachaint ar ais uirthi.

Lig sí osna aisti agus síos an staighre léi i

dtreo na cistine. Bhí Máthair ann roimpi, agus an chuma uirthi go raibh sí réidh le dul amach.

"Tá muid ag dul ag stocaireacht inniu," arsa Máthair agus í ag baint bolgam beag as a sú seadóige agus ag slogadh an líne mhór vitimíní a bhí os a comhair.

"*Leadrááááánach*," arsa Chloe. Chuir sí le fuaim leadránach an fhocail trína rá go mall, i bhfad níos moille ná mar ba ghá dó bheith. Bhí cead an teilifís a bheith air maidin Dé Domhnaigh mar go mbíodh cláir pholaitíochta air a thaitníodh le Máthair. Ba bhreá le Chloe bheith ag féachaint ar an teilifís, ach de bharr nach raibh cead aici ach féachaint ar bheagán, bhain sí sásamh as na fógraí – fiú na cinn is leadránaí. Ach mheas sí go raibh na cláir faoin bpolaitíocht thar a bheith leadránach go deo. Níor thuig sí cén fáth go mbídís ar siúl maidin Dé Domhnaigh. Chuir siad fonn ar Chloe fanacht ina páiste go deo mar nach raibh cuma an-mhaith ar shaol an duine fásta.

Mheas Chloe go raibh dúil ag a máthair sa Phríomh-Aire. Níor thuig Chloe féin cén fáth go mbeadh dúil ag duine ar bith ann, ach thaitin sé go mór le mná a bhí ar chomhaois lena máthair. Cheap Daid go raibh sé sin an-ghreannmhar ar fad. Uair amháin, chonaic Chloe pislíní ag teacht ó bhéal a máthar nuair a bhí sí ag féachaint ar an bPríomh-Aire ar an teilifís agus bríste gearr air ar an trá.

Bhí an ghráin dhearg ag Chloe ar na cláir sin, ach fós b'fhearr léi féachaint ar chéad chlár acu i ndiaidh a chéile ná dul ag stocaireacht in éineacht lena máthair.

"Bhuel, taitníodh sé leat nó ná taitníodh, tá tú ag teacht," arsa Máthair. "Agus cuir ort an gúna deas buí a cheannaigh mé duit le do lá breithe. Is beag nach gcuireann sé sin slacht éigin ort."

Níor thaitin an gúna le Chloe. Bhí cuma milseán Quality Street uirthi. Ní hamháin sin, ach d'fhéach sí cosúil le ceann de na milseáin sin a bhíonn fágtha ag bun an bhosca i bhfad tar éis na Nollag. An t-aon dath éadaigh a thaitin le Chloe a chaitheamh ná dath dubh. Bhí rud éigin faiseanta, rud éigin cúláilte ag baint leis mar dhath. Agus níos fearr fós, chuir éadach dubh cuma níos tanaí uirthi.

Ba bhreá léi bheith ina Gotach ach ní raibh a fhios aici cá dtosódh sí. Ní raibh aon éadaí Gotacha in Marks & Spencer. Ná ní raibh aon smideadh bán aici ná dath dubh le cur ina cuid gruaige.

Cá dtosódh duine ar an bpróiseas? An raibh foirm iarratais ann le bheith i do Ghotach?

An ndéanfadh coiste de Mhór-Ghotaigh measúnú ort? Chonaic Chloe Gotach ceart uair amháin in aice leis an mbosca bruscair i lár an bhaile. Bhí Chloe chomh tógtha sin leis an nGotach go raibh fonn uirthi ceist a chur uirthi faoi cén chaoi a bhféadfadh sí féin a bheith ina Gotach, ach bhí sí róchúthail. Bhí a

Léaráid
A

Léaráid
B

íoróin féin ag baint leis sin ó tharla gur tréith í an chúthaileacht a theastaíonn chun bheith i do Ghotach.

Dá dtarlódh sé riamh go mbeadh Éilís an cat ina Gotach, seo an chuma a bheadh uirthi.

Ar ais linn chuig an scéal...

"Tá sé fuar inniu, a Chloe," arsa Máthair agus Chloe ag teacht anuas an staighre agus an gúna lofa Quality Street uirthi. "Teastaíonn cóta uait. Céard faoin gceann oráiste sin a rinne do sheanmháthair duit an Nollaig seo caite? Cuir ort an cóta oráiste a rinne do sheanmháthair duit an Nollaig seo caite."

D'oscail Chloe cófra na gcótaí faoin staighre. Chuala sí torann istigh ann. An raibh Éilís an cat curtha faoi ghlas istigh ann trí thimpiste? Nó an raibh Mr Lofa tagtha isteach? Las sí an solas. Ag féachaint amach uirthi ó chóta fionnaidh, bhí éadan faiteach ann.

"A Dhaid?"

"Fuist!"

"Cén fáth a bhfuil tú i bhfolach istigh ansin?" arsa Chloe i gcogar. "Cheap mé go raibh tú ag an obair."

"Nílim. Chaill mé mo phost sa mhonarcha,"

arsa Daid go brónach.

"*Céard*?"

"Leagadh go leor daoine amach coicís ó shin. Níl aon tóir ar charranna faoi láthair de bharr an eacnamaíocht a bheith lag, is dócha."

"Sea, ach cén fáth a bhfuil tú i bhfolach?"

"Tá faitíos orm an scéala a insint do do mháthair. Fágfaidh sí mé. Impím ort, ná hinis di."

"Ní dóigh liom go bhfágfadh-"

"Le do thoil, a Chloe. Ní bheidh sé éasca ach gheobhaidh mé jab nua go luath."

Chuir sé amach a chloigeann de bheagán go dtí raibh bun an chóta fionnaidh ar bharr a chinn ar nós folt mór gruaige.

"Á, sin an chuma a bheadh ort le gruaig!" arsa Chloe i gcogar.

"Céard?"

Ba é Daid *cinnte* a bhí ar chlúdach an dlúthdhiosca. D'aithin sí anois é agus an fionnadh san áit a mbíodh an ghruaig fadó.

"Má tá jab uait, nach féidir leat dul ar ais mar cheoltóir leis Na Nathracha Nimhe?" arsa Chloe.

Scanraigh Daid. "Cé a d'inis duit go raibh mé i mbanna ceoil?"

"Chonaic mé an dlúthdhiosca agus chuir mé ceist ar Mháthair, ach-"

"Fuist!" arsa Daid. "Bí ciúin. Fan... cá bhfaca tú an dlúthdhiosca?"

"Uth... bhí mé... uth... ag cuardach seanbhréagán liom agus bhí sé i mbosca sa tseid. Bhí giotár dóite istigh ann."

D'oscail Daid a bhéal chun rud éigin a rá ach baineadh torann as doras thuas an staighre ag an nóiméad sin.

"A Chloe, déan deifir!" a bhéic Máthair.

"Geall dom nach n-osclóidh tú do bhéal faoi mo jab," arsa Daid i gcogar.

"Geallaim duit."

Dhún Chloe doras an chófra. Anois bhí beirt fhear fásta i bhfolach aici ar fud an tí. *Céard é an chéad rud eile? arsa Chloe léi féin.* "*An mbeidh Daideo i bhfolach sa triomadóir éadaigh?!*"

10

Coganta

Ní raibh Chloe riamh amuigh ar stocaireacht roimhe seo. An rud a bhí i gceist ná go raibh sise ag bualadh ar dhoras gach tí ar an mbaile. Bhí Máthair lena taobh, ag cur na ceiste "an féidir liom bheith ag brath ar do vóta?" Dá ndéarfaidís go bhféadfadh, thiocfadh meangadh mór ar aghaidh a máthar agus thabharfadh sí greamán dóibh le cur ar an bhfuinneog, 'Vótáil Crósta'. Dá ndéarfaidís nach bhféadfadh, bhí lá fada rompu mar nach raibh Máthair chun géilleadh go héasca. Ba í an cineál duine í a bhí sásta troid mhór a chur suas.

Chuaigh siad isteach chomh fada le siopa Raj. "Meas tú an gcuirfidh Raj ceann de na póstaeir san fhuinneog dom," arsa Máthair. Suas léi chuig an doras agus Chloe ag streachailt le coinneáil suas léi. Bhí a bróga míchompordacha Domhnaigh uirthi agus ba dheacair an oiread sin siúlóide a dhéanamh iontu. Agus bhí a hintinn ar rudaí eile ó mhaidin. Bhí dhá rún ollmhóra á gceilt aici anois – Mr Lofa i bhfolach sa tseid agus a daid i bhfolach sa chófra faoin staighre!

"Á, a chustaiméirí áille!" arsa Raj agus iad ag dul isteach an doras. "Mrs Crosta agus a hiníon ghleoite, Chloe!"

"Cróóóóósta!" arsa Máthair. "An féidir liom bheith ag brath ar do vóta, a Raj?"

"Beidh tú ar *The X-Factor*?!" arsa Raj agus sceitimíní air. "Cinnte, cinnte, vótálfaidh mé duit. Céard a bheidh á chasadh agat Dé Sathairn?"

"Ní bheidh sí ar *The X-Factor*, a Raj," arsa

Chloe agus í ag iarraidh gan gáire.

"*Britain's Got Talent* b'fhéidir? Mar bholgchainteoir le puipéad dána a bhfuil Séimí air mar ainm? Bheadh sé sin an-bharrúil!"

"Ní bheidh sí ar *Britain's Got Talent* ach an oiread," arsa Chloe agus strais uirthi.

"*How do you solve any dream will I'd do anything* nó cibé cén t-ainm atá air le Graham rud éigin?"

"An toghchán, Raj," arsa Máthair. "Tá mé ag

seasamh le bheith i mo Theachta Parlaiminte."

"Cén uair a bheidh sé sin ann?"

"Dé hAoine seo chugainn. Tá sé sna nuachtáin ar fad, a Raj!" arsa Máthair agus í ag síneadh a méir i dtreo na nuachtán.

"Ní léimse ach *Nuts* agus *Zoo*," arsa Raj. "Bíonn mo dhóthain nuachta iontu sin."

Ní raibh Máthair róshásta leis an bhfreagra sin, cé go raibh barúil ag Chloe nach raibh tuairim ag a máthair céard iad *Nuts* agus *Zoo*. Bhí cóip de Nuts feicthe ag Chloe uair amháin ar scoil, nuair a thug duine de na buachaillí níos sine isteach é. Bhí a fhios aici gur iris gháirsiúil a bhí inti.

"Cé na fadhbanna atá atá ag cur as do mhuintir na tíre seo, a Raj?" arsa Máthair agus í bródúil as clisteacht a ceiste.

Smaoinigh Raj ar feadh nóiméid agus ansin bhéic sé anonn ar roinnt buachaillí a bhí ag crochadh thart sa chúinne. "Ná cuirigí an taifí in bhur mbéal mura bhfuil sibh chun íoc as! Damnú orthu, beidh orm margadh speisialta a thabhairt ar an taifí sin anois."

Fuair Raj peann agus páipéar agus scríobh sé comhartha 'dara láimhe' le cur ar an mbosca taifí.

Nóta duit féin, arsa Chloe léi féin. *Ná ceannaigh taifí anseo arís go deo.*

"Anois... cá raibh mé?" arsa Máthair le Raj. "Sea, cé na fadhbanna atá atá ag cur as do mhuintir na tíre seo, a Raj?" arsa Raj. "Ó, ní raibh gá dom 'Raj' a rá mar gur mise Raj. Bhuel, ceapaim gur cheart go mbeadh Cadbury's Creme Eggs ar fáil i gcaitheamh na bliana agus ní faoi Cháisc amháin. Bíonn an-tóir go deo ó cheann ceann na bliana. Ba cheart freisin go mbeadh níos mó cineálacha Tayto ann, le blas Sicín Áiseach agus Rogan Josh orthu. Níos tábhachtaí fós, agus tá a fhios agat gur tuairim an-chonspóideach í seo, ba cheart cosc iomlán a chur ar na cinn caife sna málaí Revels. Bheadh díol i bhfad níos fearr ar Revels dá ndéanfaí é sin. Tá sé ráite anois agam!"

"Ceart go leor," arsa Máthair.

"Má gheallann tú polasaí an rialtais a athrú ar na rudaí sin, tabharfaidh mise mo vóta duit!"

Ní raibh fáilte rómhór curtha roimh Mháthair ag na doirse go dtí seo, mar sin dhéanfadh sí rud ar bith chun vóta a bhaint amach.

"Cinnte, déanfaidh mé mo dhícheall, a Raj!" ar sí.

"Go raibh míle maith agat," arsa Raj. "Anois croch leat rud éigin as an siopa."

"Ó, ní fhéadfainn, a Raj!"

"Le do thoil, a Mrs Crosta. Bosca Terry's All Gold. Níl imithe as ach na cinn caramail. M'anam go bhfuil na cinn sin blasta! Agus an barra seacláide seo do Chloe. Tá sé beagáinín brúite mar gur shuigh mo bhean air."

"Ní fhéadfadh muid glacadh leo, a Raj," arsa Máthair.

"Bhuel, ceannaigh iad mar sin? €4.29 ar an Terry's All Gold agus 20c ar an tseacláid. Sin €4.49. Fágfaidh mé ag €4.50 é. Tabhair dom €5 agus fágfaidh muid aige sin é."

Anonn le Chloe agus Máthair chuig an doras agus Máthair ag féachaint le déistin ar a bosca seacláide a bhí leathfholamh.

"Anois, ná déan dearmad ar do vóta Dé hAoine!" arsa Máthair agus í ag oscailt an dorais.

"Ó, faraor, a Mrs Crosta, caithfidh mé fanacht sa siopa Dé hAoine mar go bhfuil mé ag súil le lastas mór Smarties! Ach, go n-éirí leat!"

"Ó... Go raibh maith agat," arsa Máthair agus cuma dhíomách uirthi.

"A Mrs Crosta, ar mhaith leat rud éigin an-speisialta?" arsa Raj. "Rud a thabharfaidh tú do do gharchlann agus a bheidh le feiceáil ar *The*

Antiques Road Show amach anseo?"

"Cinnte," arsa Máthair.

"Seit stáiseanóireachta Teenage Mutant Ninja Turtles..."

11

Tarraingt Gruaige

"Céard atá i bhfolach sa tseid agat?" arsa Annabelle, go milleánach.

Meán oíche a bhí ann agus bhí Chloe ag éalú go ciúin thar sheomra Annabelle arís agus í ar a bealach amach chun scéal eile a insint do Mr Lofa. Bhí Annabelle ina seasamh sa doras. Bhí pitseámaí bándearga uirthi agus trilseáin ina cuid gruaige. Bhí sí déistineach gleoite.

"Tada," arsa Chloe, go neirbhíseach.

"Sin deargbhréag, a Chloe."

"Céard?"

"Ná bí ag ligint ort. Bíonn snag i do ghlór

nuair a bhíonn tú ag bréagadóireacht."

"Níl sé sin fíor!" arsa Chloe, agus snag ina glór.

"Tá sé fíor! Céard atá amuigh ansin ar aon nós? An é go bhfuil buachaill i bhfolach agat nó rud éigin?"

"Níl aon bhuachaill agam, a Annabelle."

"Ar ndóigh. Bheadh meáchan le cailleadh agat ar dtús."

"Téigh ar ais a chodladh," arsa Chloe.

"Níl mise chun bogadh go dtí go n-inseoidh tú dom," a d'fhógair Annabelle.

"Coinnigh síos do ghlór nó dúiseoidh tú an teach ar fad!"

"Ní choinneoidh! Ardóidh mé mo ghlór. La la la la la la la la la la la la la la la!"

"*Fuist!*" arsa Chloe ag siosarnach.

"La la la la la la la la la la la la la la la la la la la la la la la la la la la la la la la la la la la la la la

la la la la la la la la la la la la la la la la la la la la la
la la la la la la la la la la la la la la la la la la la la la
la la…!"

Tharraing Chloe gruaig a deirféar go crua.
D'fhéach Annabelle ar Chloe agus an mothú
bainte aisti. Bhí sí ina tost ar feadh soicind agus
ansin d'oscail sí a béal.

"AAAAAAAAAAAAAAAAAAAAAA
AAAAAAAAAAAAAAAAAAAAAAAA
AAAAAAAAAAAAAAAAAAAAAAAA
AAAAAAAAAAAAAAAAAAAAAAAA
AAAAAAAAAAAAAAAAAAAAAAAA
AAAAAAAAAAAAAAAAAAAAAAAA
AAAAAAAAAAAAAAAAAAAAAAAA
AAAAA!" a scréach Annabelle.

"A chailíní! Céard sa diabhal é an torann seo
ar fad?" arsa Máthair agus í ag gluaiseacht amach
as a seomra ina pitseámaí síoda.

Rinne Annabelle iarracht labhairt, ach chinn

uirthi a hanáil a tharraingt.

"Uth... é... á... é... á... uuuuth... á... é... uth..."

"Céard atá déanta agat léi, a Chloe?" arsa Máthair go borb.

"Níl sí ach ag ligean uirthi féin! Níor tharraing mé a cuid gruaige chomh crua sin!" arsa Chloe.

"Tharraing tú a cuid *gruaige*? Tá a fhios agat go bhfuil agallamh aici amárach le bheith ina mainicín!"

"Uth... á... é... á... Tá á é uth rud uth uth i bhfolach uth uth é á uth sa uth uth uth i uth tseid," arsa Annabelle agus í ag pusaíl ghoil.

"Athair," a d'ordaigh Máthair. "Amach anseo, anois díreach!"

"Tá mé i mo chodladh!" arsa glór tuirseach as an seomra codlata.

"ANOIS DÍREACH!"

D'fhéach Chloe síos ar an gcairpéad ionas nach bhfeicfí a héadan. Bhí ciúnas ann. D'éist an triúr fad a rinne Daid a bhealach amach as an leaba. Ansin chuala siad uisce ag dul isteach sa leithreas. Tháinig dath dearg le fearg ar éadan Máthar.

"ANOIS DÍREACH A DEIRIM!"

Stop an t-uisce agus amach de shodar le Daid ina chuid pitseámaí Arsenal FC.

"Dúirt Annabelle go bhfuil rud éigin i bhfolach ag Chloe sa tseid, seacláid is dócha. Téigh síos go bhfeicfidh tú."

"Mise?" arsa Daid.

"Sea, tusa!"

"Ar maidin mar sin."

"Anois díreach."

"Níl rud ar bith thíos ann," arsa Chloe.

"CIÚNAS!" arsa Máthair.

"Gheobhaidh mé tóirse," arsa Daid, le hosna.

Rinne sé a bhealach go mall síos an staighre agus rith Máthair, Chloe agus Annabelle go fuinneog an tseomra chun féachaint air.

Bhí an ghealach lán agus cuma aisteach ar an ngairdín dá bharr. Níor chorraigh an triúr agus iad ag faire ar Dhaid ag oscailt doras na seide.

Rinne sé torann mar a bheadh scréach ann.

Bhí Chloe in ann a croí a chloisteáil ina cliabhrach. Céard a bhí i ndán di? An gcuirfí iallach uirthi cabáiste a ithe ag gach béile as seo amach? Bhí snag ard ina scornach agus d'fhéach Máthair uirthi le hamhras.

Ba gheall le toirneach an ciúnas. D'imigh an cúpla soicind ar nós uaireanta an chloig, nó blianta fiú amháin. Tháinig Daid amach as an tseid arís agus d'fhéach sé suas. "Níl aon rud ann!" a bhéic sé aníos.

12

Lofa Bréan

An brionglóid a bhí ann? arsa Chloe léi féin agus í ina luí sa leaba. Bhí sí leath ina codladh agus leath ina dúiseacht. Bhí sé a 4.48am agus bhí amhras uirthi gur ina samhlaíocht amháin a bhí Mr Lofa.

Le breacadh an lae, fuair a fiosracht an ceann is fearr uirthi. D'éalaigh sí amach as an teach agus chuaigh sí chomh fada leis an tseid. Sheas sí taobh amuigh den doras ar feadh tamaill sular oscail sí é.

"Á, ansin atá tú!" arsa Mr Lofa. "Tá mé stiúgtha ar maidin. Uibheacha bruite, le do thoil.

Agus mura miste leat, bídís bog sa lár.

Agus ispíní. Muisiriúin. Trátaí. Ispíní. Pónairí. Ispíní. Arán agus im. Anlann dhonn. Tae. Agus gloine sú oráiste. Agus ná déan dearmad ar na hispíní. Go raibh míle maith agat."

Bhí sé soiléir anois di nár bhrionglóid a bhí ann. Faraor géar narbh ea. Níor bhain an méid a bhí ag tarlú lena samhlaíócht beag ná mór.

"Sú oráiste úr, an ea, a dhuine uasail?" ar sí go searbh.

"B'fhearr liom sú a bhfuil an dáta caite go maith air, más cuma leat? Bíodh sé mí nó dhó as dáta más féidir."

Ag an nóiméad sin, chonaic Chloe seanghrianghraf a bhí curtha suas ar an tseilf ag Mr Lofa. Bhí lanúin óg slachtmhar sa ghrianghraf agus iad ina seasamh le taobh Rolls Royce álainn snasta, taobh amuigh de theach mór galánta.

"Cé hiad sin?" arsa Chloe agus í ag síneadh a

méir i dtreo an phictiúir.

"Ó, d-d-d-duine ar bith..." ar sé, go stadach.
"Níl ann ach seanphictiúr seafóideach, a Miss
Chloe."

"An féidir liom féachaint air?"

"Ná bac leis. Níl ann ach sean-ghrianghraf
nach mbeadh aon suim agat ann." Bhí Mr Lofa
trína chéile. Thóg sé an grianghraf ón tseilf agus

chuir sé ina phóca é. Bhí díomá ar Chloe. Ba leid eile a bhí sa ghrianghraf faoi cárbh as ar tháinig Mr Lofa. Bhí a fhios aici gur leid mhaith a bhí ann faoin saol a bhí caite ag Mr Lofa, leid níos fearr ná an spúnóg airgid ná an bealach a raibh sé in ann liathróid páipéir a chaitheamh isteach sa bhosca bruscair. Bhí an chuma ar an ngrianghraf gurbh í an leid ab fhearr fós. Bhí sé á díbirt as an tseid. "Ná déan dearmad ar na hispíní!" ar sé.

Cén chaoi sa diabhal nach bhfaca Daid é? arsa Chloe léi féin agus í ag dul ar ais sa teach. Fiú mura raibh Mr Lofa le feiceáil, cén chaoi nach bhfuair sé an boladh?

D'oscail Chloe doras an chuisneora go ciúin agus thosaigh ag cuardach sú oráiste a raibh an dáta caite air.

"Céard atá ar siúl agat?" arsa glór.

Scanraigh Chloe. Ní raibh ann ach Daid, ach ní raibh sí ag súil é a fheiceáil chomh luath seo ar maidin.

"Tada, a Dhaid. Níl ann ach go bhfuil ocras orm."

"Tá a fhios agam cé atá sa tseid, a Chloe," ar sé.

Bhí an mothú bainte as Chloe agus ní raibh sí in ann labhairt.

"D'oscail mé an doras aréir agus fuair mé seantramp ina chodladh le taobh mo lomaire féir," arsa Daid. "Bhí boladh... bhuel... bréan ann. Thar a bheith bréan. Lofa bréan."

"Bhí mé ag iarraidh é a rá leat," arsa Chloe. "Teastaíonn dídean uaidh, a Dhaid. Ach tá Máthair ag iarraidh gach duine gan dídean a dhíbhirt ó na sráideanna!"

"Tá a fhios agam, a Chloe, ach ní féidir leis fanacht. Caillfidh do mháthair an cloigeann má fhaigheann sí amach."

"Tá brón orm, a Dhaid."

"Tá sé ceart go leor. Ní inseoidh mé é do do mháthair. Choinnigh tusa ina rún an scéal a d'inis mé duit faoi mo phost a chailleadh, nár choinnigh?"

"Cinnte, choinnigh."

"Cailín maith," arsa Daid.

"Inis dom," arsa Chloe agus í sásta go raibh a daid aici di féin ar feadh tamaill. "Cén chaoi ar dódh do ghiotár?"

"Chaith do mháthair sa tine é."

"Ná habair!"

"Bhí sí ag iarraidh orm bogadh ar aghaidh i mo shaol," arsa Daid. "Rinne sí gar dom, is dócha."

"*Gar*?"

"Bhuel, ní raibh rud ar bith i ndán do Na Nathracha Nimhe, agus fuair mé post sa mhonarcha."

"Ach bhí albam agaibh! Caithfidh sé go raibh

an-tóir oraibh," arsa Chloe agus sceitimíní uirthi.

"Ní raibh ar chor ar bith!" arsa Daid ag gáire. "Níor dhíol muid ach deich gcóip."

"*Deich gcinn*?" arsa Chloe.

"Sea, agus ba í do mhamó a cheannaigh a bhformhór. Ach ní raibh aon chaill orainn. Bhí amhrán amháin sna cairteanna againn."

"Céard, ag uimhir a haon?"

"Ní hea, ag uimhir a 98."

"Bhabha," arsa Chloe. "Bhí sé i measc na 100 amhrán is mó díol. Tá sé sin go maith, nach bhfuil?"

"Níl, i ndáiríre," arsa Daid. "Ach, go raibh maith agat." Thug sé póg di ar a baithis agus d'oscail amach a lámha chun barróg mhór a thabhairt di.

"Níl aon am againn le haghaidh barróga!" arsa Máthair ag teacht isteach sa chistin. "Beidh an t-iriseoir ó *The Times* anseo gan mhoill. Déan tusa an bricfeasta, a Athair, agus leag tusa an bord, a Chloe."

"Cinnte, a Mháthair," arsa Chloe agus í ag déanamh imní faoi bhricfeasta Mr Lofa.

"Cé chomh tábhachtach atá an teaghlach duitse, a Mrs Crosta?" ar an t-iriseoir dáiríre. Bhí spéaclaí tiubha air agus é an-sean go deo. Bhí an chuma air go raibh sé sean nuair a rugadh é. An tUasal Ó Dian a bhí air agus mheas Chloe go raibh an t-ainm sin an-oiriúnach. Níor fhéach sé ar nós fear a rinne meangadh riamh.

"Deirtear mar Cróóóósta é," arsa Máthair.

"Ní deirtear," arsa Daid agus d'fhéach a bhean air le nimh. Bhí an teaghlach ar fad suite thart ar bhord an tseomra bia, áit nár shuigh siad go hiondúil.

Bhí siad ag ithe bradán deataithe agus ubh scrofa. De ghnáth, shuídís ag bord na *cistine* ag ithe Rice Krispies agus tósta.

"An-tábhachtach, a Uasail Uí Dhéin," arsa
Máthair.

"An rud is tábhachtaí i mo shaol. Bheinn
caillte gan m'fhear céile, Mr Crósta, m'iníon

álainn, Annabelle, agus an ceann eile... í siúd,
Chloe."

"An bhfuil do theaghlach níos tábhachtaí duit
ná todhchaí na tíre seo, a Mrs Cróóóóóósta?"

Ceann deacair. Bhí tost sa seomra.

"Bhuel, a Uasail Uí Dhéin..." arsa Máthair.

"Sea, a Mrs Cróóóóóóóóósta?"

"Bhuel, a Uasail Uí Dhéin.."

"Sea, a Mrs Cróóóóóóóóóóóóóóóóóóó óósta?"

Ag an nóiméad sin, buaileadh cnag beag ar an bhfuinneog. "Tá brón orm cur isteach oraibh," arsa Mr Lofa agus meangadh air, "ach an bhféadfainn mo bhricfeasta a bheith agam anois?"

13

Dún do Chlab!

"Cé sa diabhal *é sin*?" a d'fhiafraigh an tUasal Ó Dian agus Mr Lofa ag teacht isteach sa chistin.

Bhí an áit ina thost ar feadh nóiméid. Ba bheag nár léim na súile as cloigeann Máthar agus bhí scéin ar Annabelle.

"Ó, sin é an tramp atá ina chónaí sa tseid," arsa Chloe.

"An tramp atá ina chónaí sa tseid?" arsa Máthair le hiontas. D'fhéach sí ar a fear céile agus í dearg le fearg.

Rinne sé cnap.

"Dúirt mé leat!" arsa Annabelle. "Dúirt mé

leat go raibh rud éigin ann!"

"Ní raibh sé ann nuair a d'fhéach mise!" arsa Daid. "Caithfidh go raibh sé i bhfolach ar chúl sluaiste!"

"Nach iontach an bhean thú, a Mrs Cróóóóóóóóóósta?," arsa an tUasal Ó Dian. "Léigh mé do pholasaithe faoi dhaoine gan dídean. Iad a dhíbirt de na sráideanna. Níor thuig mé gurbh éard a bhí i gceist agat ná iad a dhíbirt isteach inár dtithe chun *cónaí* linn."

"Bhuel ní..." arsa Máthair go stadach.

"Geallaim duit go scríobhfaidh mé píosa thar a bheith moltach fút anois. Beidh sé seo ar an leathanach tosaigh. D'fhéadfá bheith i do Phríomh-Aire fós!"

"Mo chuid ispíní?" arsa Mr Lofa agus é ag teacht isteach sa seomra bia.

"Gabh mo leithscéal?" arsa Máthair, sular chlúdaigh sí a béal ón mboladh bréan.

"Tá aiféala orm," arsa Mr Lofa. "Níl ann ach gur iarr mé na hispíní ar d'iníon Chloe dhá uair an chloig ó shin agus tá mé stiúgtha leis an ocras anois."

"An chéad Phríomh-Aire eile, a deir tú, a Uasail Uí Dhéin?" arsa Máthair, ag machnamh.

"Sea. Tá tú an-chineálta. Ag tabhairt cead do thramp bréan mar seo – i gcead duit –"

"Ná habair é," arsa Mr Lofa, gan mhairg.

"– teacht chun cónaí leat. Cén chaoi nach bhféadfaí vóta a chaitheamh duit?"

Rinne Máthair meangadh. "Sa chás sin," ar sí, ag féachaint i dtreo Mr Lofa, "cé mhéad ispín atá uait, a chomrádaí a chónaíonn sa tseid, agus a bhfuil boladh nach bhfuil chomh bréan sin ar chor ar bith uait?"

"Déanfaidh naoi gcinn mé, le do thoil," arsa Mr Lofa.

"Pé rud atá uait!"

"Le huibheacha bruite, bagún, muisiriúin, trátaí, arán agus im agus anlann dhonn, le do thoil."

"Cinnte, a chara dhil agus a chomrádaí ionúin!" arsa an glór as an gcistin.

"Tá tú chomh bréan go bhfuil mé plúchta agat," arsa Annabelle.

"Níl sé sin go deas, Annabelle," arsa Máthair. "Anois, tar isteach anseo agus tabhair cúnamh dom, mar a bheadh cailín maith."

Rith Annabelle amach sa chistin.

"Tá sé bréan istigh anseo chomh maith!" a bhéic sí.

"Dún do chlab!" arsa Máthair.

"Inis dom... a thraimp," arsa an tUasal Ó Dian agus é ag bogadh i dtreo Mr Lofa sula bhfuair an boladh an ceann is fearr air. "An bhfuil duine ar bith eile sa tseid leat?"

"Mise amháin. Agus mo mhadra, an Bandiúc,

ar ndóigh..."

"TÁ MADRA AIGE?" a bhéic Máthair go míshuaimhneach ón gcistin.

"Agus an maith leat bheith i do chónaí anseo?" arsa an tUasal Ó Dian.

"Is maith," arsa Mr Lofa, "ach tá an tseirbhís an-mhall go deo..."

14

An Teachta agus an Tramp

'AN TEACHTA AGUS AN TRAMP' a bhí sa cheannlíne.

Bhí an fhírinne déanta ag an Uasal Déin - bhí an scéal ar leathanach tosaigh The Times. Thíos faoin alt, bhí grianghraf mór de Mháthair le Mr Lofa. Bhí meangadh mór fiacla salacha, dubha ar Mr Lofa. Bhí Máthair ag iarraidh cuma shona a chur uirthi féin ach bhí a béal dúnta aici mar gheall ar an mboladh. A luaithe a chuir buachaill na nuachtán an páipéar isteach trí dhoras an tí, léim Máthair air, go bhfeicfeadh sí céard a bhí scríofa ann fúithi. Bhí clú agus cáil uirthi ar deireadh! Bhí daoine ar fud na tíre ag léamh fúithi ar maidin! Thosaigh sí féin ar an alt a léamh amach os ard, í ag siúl anonn is anall, chomh bródúil le coileach péacóige.

B'fhéidir nach bhfuil cuma an réabhlóidí pholaitiúil uirthi ina cuid péarlaí agus a cuid cultacha gorma, ach tá cumas sa bhean seo. D'fhéadfadh sí saol na tíre seo a athrú. Tá sí ag seasamh sa toghchán agus cé go mbreathnaíonn a cuid polsaithe an-docht, tá sí tar éis cuireadh a thabhairt do thramp chun cónaí lena teaghlach.

"Agam féin a bhí an smaoineamh," arsa Mrs Crosta (foghraithe mar Cróóóóóóóóóóóóósta). "Chuir an teaghlach ina choinne i dtosach ach ní raibh aon rogha agam ach dídean a thabhairt don bhacach brocach, bréan, lofa seo agus a mhadra lán míolta. Is iad grá mo chroí iad. Cuid dínn féin anois iad. Ní shamhlóinn mo shaol gan iad. Faraor nach bhfuil daoine eile chomh hálainn

*cineálta liomsa. Naomh as na Flaithis, atá daoine
ag rá. Dá ligfeadh gach teaghlach sa tír seo cead
do thramp cónaí leo, ní bheadh aon fhadhb easpa
dídine againn. Bheadh deireadh sona le scéal
fada brónach na ndaoine nach bhfuil aon áit
chónaithe dá gcuid féin acu. Agus, ná dearmad
do vóta a chaitheamh dom sa toghchán."*

*Smaoineamh den scoth é a d'fhéadfadh
Príomh-Aire na tíre a dhéanamh de Mrs Crosta
fós.*

*Bhí an méid seo le rá ag an tramp, nó Mr Lofa,
mar is fearr aithne air: "An bhféadfainn ispín
amháin eile a bheith agam más é do thoil é?"*

"Ní agatsa a bhí an smoaineamh, a Mháthair,"
arsa Chloe, go feargach.

"Ní hea go díreach, a stór, ach..."

Thug Chloe drochshúil di, ach bhuail an fón
ag an nóiméad sin.

"Freagair é sin, duine éigin," arsa Máthair. "Táim cinnte gur mise atá á lorg acu."

Phioc Annabelle suas an fón.

"Tí Chróóóósta. Cé atá ag caint, más é do thoil é?" a d'fhiafraigh sí, díreach mar a thaispeáin Máthair di le déanamh.

Bhí guth speisialta fóin ag a Máthair freisin, guth níos-ardnósaí fós, fiú, ná an gnáthbhealach cainte a bhí aici.

"Cé atá ann, a stór?" arsa Máthair.

"An Príomh-Aire," arsa Annabelle, ag clúdach na béalóige.

"An *Príomh-Aire*?" a scréach Máthair.

Chaith sí í féin i dtreo an fóin.

"Mrs Cróóóósta ag caint!" arsa Máthair ina guth seafóideach fóin a bhí níos ardnósaí ná fiú gnáthghuth fóin. "Sea, go raibh maith agat, a Phríomh-Aire. Tá an ceart agat gur alt iontach a bhí ann, a Phríomh-Aire."

Bhí sí ag pislíneacht arís. D'fhéach Daid chun na flaithis.

"Ba bhreá liom bheith i m'aoí ar *Question Time* anocht, a Phríomh-Aire," arsa Máthair.

Ansin bhí sí ina tost. Chuala Chloe an guth ar an taobh eile den líne, ansin ciúnas.

D'oscail béal a máthar.

"Céard?" ar sí, ag gnúsacht isteach sa fón.

D'fhéach Chloe ar Dhaid agus chroith sé a ghuaillí.

"Tá tú ag iarraidh go mbeidh an tramp in éineacht liom?" arsa Máthair agus alltacht uirthi.

Rinne Daid meangadh. Clár an-dáiríre é *Question Time*. Deis mhór a bhí ann do a thaispeáint cé chomh hiontach is a bhí sí. Ní raibh sí ag iarraidh go millfeadh tramp bréan uirthi é.

"Bhuel, sea," arsa Máthair. "Tuigim gur scéal maith é, ach an gá dó bheith liom? Tá boladh lofa uaidh."

Bhí ciúnas eile ann fad a bhí an Príomh-Aire ag caint. Bhí Chloe tógtha leis an bhfear. Duine ar bith a bhí in ann stop a chur le Máthair agus í ag caint, bhí sé *tuillte* aige bheith ina Phríomh-Aire.

"Sea, sea, bhuel, más é sin atá uait, a Phríomh-Aire, cinnte tabharfaidh mé liom é. Go raibh maith agat as glaoch. Dála an scéil, déanaim an-cháca líomóide. Má bhíonn tú thart sa cheantar riamh, ba bhreá liom dá mblaisfeá de. Ní thiocfaidh? Bhuel, slán... Slán... Slán..." Sheiceáil sí arís an raibh sé fós ann. "Slán."

Rith Chloe amach chun an scéal a thabhairt do Mr Lofa. Chuala sí "Grrrrrr" agus ghlac sí leis gurbh í an Bandiúc a bhí ann, ach ba í Éilís an cat a bhí ag gnúsacht. Bhí sí ag féachaint ar dhíon na seide, áit a raibh an Bandiúc i bhfolach. Dhíbir Chloe an cat agus mheall sí an madra anuas.

"Seo, seo," ar sí. "Tá an cat gránna sin imithe."

Amach de léim as an sceach leis an gcat. Theith an Bandiúc suas an crann úll agus rinne an cat siosarnach suas léi.

Bhuail Chloe ar dhoras na seide. "Haileo?"

"B'in tusa, a Bhandiúc?" arsa Mr Lofa.

"Ní hí," arsa Chloe. "Chloe atá anseo," ar sí. *Tá sé siúd craiceáilte*, ar sí léi féin.

"Ó, Chloe álainn! Isteach leat, a chroí."

"An raibh mé féin agus do mháthair sa nuachtán?"

"Bhí, ar an leathanach tosaigh. Féach!"

Thaispeáin sí an nuachtán dó. "Tá clú agus cáil ort!"

"Ní hamháin sin, ach tá muid tar éis glaoch a fháil ón bPríomh-Aire."

"Winston Churchill?"

"Ní hé, tá Príomh-Aire nua againn anois agus tá sé ag iarraidh ort féin agus ar mo mháthair dul

ar *Question Time* anocht."

"Ar an ngléas teilifísiúil?"

"Sea, an teilifís. Agus b'fhéidir sula rachaidh tú air..." D'fhéach Chloe ar Mr Lofa le dóchas.

"B'fhéidir gur smaoineamh maith é dá mbeadh..."

"Sea, a chroí?"

"Bhuel, dá mbeadh..."

"Sea...?"

"Fol..." Chruinnigh Chloe a misneach agus

dúirt sí, "...folcadh agat?"

D'fhéach Mr Lofa uirthi le hamhras.

"Chloe?" ar sé ar deireadh thiar.

"Sea, Mr Lofa?"

"Níl aon bholadh uaim, an bhfuil?"

Céard a d'fhéadfadh sí a rá? Ní raibh sí ag iarraidh é a ghortú ach bheadh sé i bhfad níos éasca a bheith in aici leis dá mbeadh sé nite.

"Níl, níl, níl, cinnte níl aon bholadh uait," arsa Chloe agus í ag slogadh amhail is nár shlog sí riamh ina saol.

"Go raibh maith agat, a stóirín," arsa Mr Lofa. "Ach, cén fáth a dtugann siad Mr Lofa orm mar sin?"

Ina cloigeann bhí an ceol drámatúil ó *Who Wants to be a Millionaire* ag seinm. An í seo an cheist don mhilliún euro? Ach ní raibh aon 50/50 ag Chloe, nó fiú 'glaoch ar chara'. Tar éis sos a bhí chomh fada go bhféadfá féachaint ar gach ceann de scannáin *The Lord of the Rings*, d'fhreagair Chloe é.

"Jóc atá ann," ar sí.

"Jóc?" arsa Mr Lofa.

"Sea, mar gheall go bhfuil boladh chomh deas uait, tugann daoine Mr Lofa ort mar jóc."

"I ndáiríre?" Bhí an t-amhras imithe uaidh.

"Sea, tá sé ar nós 'An Fear Mór' a thabhairt ar fheairín an-bheag nó 'Ramhrachán' a thabhairt ar dhuine an-tanaí."

"Ó, sea, tuigim, an-bharrúil!" arsa Mr Lofa, ag gáire.

D'fhéach an Bandiúc ar Chloe amhail is go raibh sí ag rá, *bhí an deis agat, ach roghnaigh tú leanúint leis an mbréag.*

Cén chaoi a bhfuil a fhios agamsa céard a bhí i gcloigeann an Bandiúc? Mar gheall go bhfuil leabhar iontach léite agam, dar teideal *Céad Míle Tuairim a bhíonn ag Madraí* leis an Ollamh L. Stone.

Ach sin scéal eile.

"Bhuel," arsa Chloe, "b'fhéidir gur mhaith leat folcadh ar aon nós, len chraic…"

15

Am Folctha

Ní haon ghnáthfholcadh a bhí ann. Bheadh uirthi ord agus eagar a chur ar an bpróiseas seo.

Uisce te? Déanta.

Tuáillí? Déanta.

Sobal? Déanta.

Lachóigín rubair? Déanta.

Gallúnach? An raibh dóthain sa teach? Nó sa bhaile mór? Nó, go deimhin, san Eoraip, chun Mr Lofa a ghlanadh? Ní raibh folcadh aige ó – bhuel, anuraidh a dúirt sé, ach seans go raibh na díneasáir fós thart nuair a tharla sé.

Chas Chloe air an dá sconna ionas go mbeadh

an teocht díreach ceart. Dá mbeadh sé róthe nó rófhuar, b'fhéidir nach dtógfadh Mr Lofa folcadh arís go deo. Chuir sí sobal isteach ann agus ansin leag sí amach tuáillí go néata ar stól. Thóg sí paicéad mór gallúnaí as an gcófra. Bhí gach rud ag dul i gceart go dtí...

"Tá sé éalaithe!" arsa Daid, ag cur a chloiginn isteach an doras.

"Níl sé sa tseid, ná sa teach, ná sa ghairdín. Níl's agam cá bhfuil sé."

"Cas air an carr!" arsa Chloe.

As go brách leo síos an bóthar. Bhí sceitimíní ar Chloe mar go raibh Daid ag tiomáint níos tapa ná de ghnáth, cé go raibh sé fós faoi bhun na teorann luais. Bhí siad ar nós beirt phóilíní as scannán aicsin i Hollywood. Bhí tuairim ag Chloe go mbeadh Mr Lofa ar ais ar a sheanbhinse.

"Stop an carr!" ar sí agus iad ag dul thar an mbinse.

"Ach tá líne bhuí dhúbailte ann," a d'impigh Daid.

"Stop an carr, a deirim!"

Léim Daid ar na coscáin. Scréach na boinn agus stop an carr. Caitheadh an bheirt chun cinn ina suíocháin. Rinne siad meangadh le chéile amhail is go raibh siad tar éis turas a bheith acu ar rollchóstóir. Léim Chloe amach as an gcarr agus dhún an doras de phlab, rud nach ndéanfadh sí go deo dá mbeadh a máthair thart.

Ach ní raibh deoraí ar an mbinse. Ní raibh Mr Lofa ann. Bhain Chloe boladh as an aer. Bhí an bréantas le fáil, ar éigean. Ach seans go raibh sé sin ann ón tseachtain seo caite.

Thiomáin Daid ar fud an bhaile ar feadh uair an chloig. Sheiceáil Chloe gach áit a cheap sí a bheadh a cara – faoin droichead, sa pháirc, sa siopa caife, ar chúl na mboscaí bruscair. Ach ní raibh tásc ná tuairisc air. Bhí fonn uirthi tosú ag caoineadh. B'fhéidir go raibh sé imithe as an mbaile ar fad.

"B'fhearr dúinn dul abhaile, a stór," arsa Daid go cineálta.

"B'fhearr," arsa Chloe, agus í ag cur cuma mhisniúil uirthi féin.

"Cuirfidh mise síos an citeal," arsa Daid agus iad ag dul isteach an doras.

Sa tír seo, is é an tae an leigheas atá ar gach rud.

Tite de do rothar? Cupán deas tae.

Do theach scriosta ag tine? Cupán deas tae agus briosca.

Do theaghlach ar fad slogtha ag Tyrannosaurus Rex? Cupán deas tae agus píosa de cháca. Nó b'fhéidir rud éigin ar nós rollóg ispín nó ubh Albanach.

Thug Chloe an citeal chuig an doirteal chun é a líonadh. D'fhéach sí amach an fhuinneog.

Díreach ansin, aníos le cloigeann Mr Lofa as lochán na lachan. Chroch sé a lámh le beannú do Chloe. Scread sí.

Nuair a bhí siad tagtha chucu féin ón scanradh, shiúil Chloe agus a Daid amach go mall chuig an lochán. Bhí Mr Lofa ag casadh an amhráin "Bí i do bhád, ag rámh, ag rámh" leis féin. Bhí sé ag cuimilt algaí dá chraiceann le duilleog bháite. Bhí na héisc órga ar bharr uisce agus iad bun os cionn.

"Tráthnóna maith agat, a Miss Chloe agus a Mr Crosta," arsa Mr Lofa go gealgháireach. "Ní bheidh i bhfad eile orm istigh anseo!"

"Céard... céard... céard atá á dhéanamh agat?" arsa Daid.

"Tá mé féin agus an Bandiúc ag tógáil folctha, mar a mhol Chloe."

Ag an nóiméad sin, amach leis an mBandiúc as an lochán agus í clúdaithe le cupóga. Bhí sé

sách dona go raibh sé folcthaá fholcadh féin
i lochán, ach in éineacht lena mhadra freisin.
Chroith an Bhandiúc í féin agus d'fhéach Chloe
uirthi le hiontas. Níor mhadra dubh a bhí inti ar

chor ar bith, ach madra beag bán.

"A Mr Crosta, a chara?" arsa Mr Lofa. "Ar mhiste leat tuáille a shíneadh chugam? Go raibh míle maith agat. Á! Tá mé chomh glan leis an gcriostal anois!"

16

Tírghrá Abú

Bhain Máthair boladh as an aer. Chuir sí straois uirthi féin le déistin.

"An bhfuil tú cinnte go raibh folcadh agat, Mr Lofa?" ar sí agus an teaghlach ar fad sa charr ar an mbealach chuig an stiúideo teilifíse.

"Go deimhin, bhí, a bhean uasail."

"Bhuel tá boladh aisteach locháin sa charr. Agus boladh madra," arsa Máthair.

"Tá fonn múisce orm," arsa Annabelle ó chúl an chairr.

"Dúirt mé leat cheana, a stór, ní deir an teaghlach seo 'múisc'," arsa Máthair. "Deirimid go bhfuil pian an-bheag inár mbolg."

D'oscail Chloe an fhuinneog go discréideach, le nach ngoillfeadh sí ar Mr Lofa.

"Ar mhiste leat an fhuinneog a choinneáil dúnta?" a d'iarr Mr Lofa. "Mothaím beagán fuar."

Dúnadh an fhuinneog arís.

"Go raibh míle maith agat," arsa Mr Lofa. "An-chineálta."

Stop siad ag soilse tráchta agus rinne Daid iarracht dlúthdhiosca rac a chur isteach. Thug Máthair clabhta dó agus chuir sé a lámh ar ais ar an roth stiúrtha. Chuir sise isteach an dlúthdhiosca ab ansa léi agus d'fhéach an bheirt a bhí sa charr lena dtaobh go haisteach orthu nuair a thosaigh an t-amhrán náisiúnta ag seinm go hard as an gcarr.

"Mmm, níl sé seo sách maith ar chor ar bith... arsa an léiritheoir teilifíse agus é ag féachaint ar Mr Lofa. "An féidir linn roinnt salachair a chur air? Ní bhreathnaíonn sé sách brocach. Smideadh? Cá bhfuil an smideadh?"

Bhí bean ann a bhí brataithe le smideadh. Tháinig sí anall chucu le scuab i lámh amháin agus croissant sa lámh eile.

"A dóitín, an bhfuil aon ghréisc agat?" arsa an léiritheoir.

"Tar liomsa, a Mr...?" arsa bean an smididh.

"Lofa," arsa Mr Lofa go bródúil. "Mr Lofa. Agus beidh mé i mo réalta teilifíse anocht."

Chuir Máthair pus uirthi féin.

Tugadh Chloe, Annabelle agus Daid isteach chuig seomra beag chun féachaint ar an gclár beo, áit a raibh teilifíseán, leathbhuidéal fíon bán agus babhla criospaí boga ann.

Thosaigh ceol bríomhar an chláir agus thug an lucht féachana bualadh bos múinte agus d'fhéach an láithreoir ardnósach, Sir Daithí Scuaid, ar an gceamara. "Eagrán speisialta toghcháin a bheidh againn anocht ar Question Time. Tá ionadaithe againn ó na páirtithe móra polaitiúla ar fad, chomh maith le tramp darb ainm Mr Lofa. Fáilte chuig clár na hoíche anocht."

Chlaon gach duine timpeall an bhoird a gceann go béasach, seachas Mr Lofa a d'fhógair go hard, "Ní miste dom a rá gur mór an pléisiúr dom bheith ar do chlár anocht."

"Go raibh maith agat," arsa an láithreoir go míchinnte.

"Ní fhaca mé riamh é, ó tharla go bhfuil mé gan dídean," arsa Mr Lofa. "Mar a tharlaíonn sé, níl tuairim agam cé tú féin, ach glacaim leis go bhfuil tú an-cháiliúil. Lean ort, a Sior Dónal."

Rinne an lucht féachana gáire míchinnte. Bhí cuma mhíshásta ar Mháthair. Rinne an láithreoir casachtach neirbhíseach agus lean sé air.

"An chéad cheist anocht, mar sin…"

"An bhfuil smideadh ort, a Sior Déaglán?" arsa Mr Lofa go soineanta.

"Beagán, cinnte, mar gheall ar na soilse ar ndóigh."

"Ar ndóigh," a d'aontaigh Mr Lofa. "Púdar?"

"Sea."

"Dath ar do shúile?"

"Beagán."

"Dath ar do bhéal?"

"Ruainne beag."

"Féachann sé go haoibhinn. Ar do leicne?"

Bhí an lucht féachana ag gáire os íseal agus lean Sior Daithí air go tapa. "Ní miste dom a mhíniú go bhfuil Mr Lofa anseo anocht mar aoi ag Mrs Crosta…"

"Cróóóóóóósta," a cheartaigh Máthair.

"Ó," arsa Sior Daithí. "Gabh mo leithscéal. Ach dúirt d'fhear céile go ndeirtear é mar Crosta."

Las éadan Máthar le náire. D'fhéach Sior Daithí ar a nótaí arís. "Níos déanaí sa chlár," ar sé, "beimid ag plé ceist na heaspa dídine."

Chuir Mr Lofa suas a lámh.

"Sea, a Mr Lofa?" arsa an láithreoir.

"An féidir liom dul chuig an leithreas, a Sior Darach?"

Thosaigh an lucht féachana ag gáire arís.

"Ní raibh deis agam dul ann sular thosaíomar mar go raibh an bhean chóir ag obair ar mo chuid gruaige. Rinne sí an-jab. Chuir sí glóthach ann agus gach rud, ach rinne mé dearmad dul chuig teach an asail."

"Bhuel, ar ndóigh, más gá duit dul ann…"

"Go raibh céad míle maith agat," arsa Mr Lofa. D'éirigh sé as a shuíochán. "Ní bheidh mé i bhfad. Níl le déanamh agam ach mo mhún." Phléasc an lucht féachana amach ag gáire arís. Sa seomra beag ar cúl, bhí Chloe agus Daid ag gáire freisin. D'fhéach Chloe ar Annabelle. Bhí sise ag déanamh gach iarracht gan gáire, ach bhí meangadh ag teacht ar a héadan dá buíochas.

"Gabh mo leithscéal!" arsa Mr Lofa ag dul trasna an stáitse an treo eile. "Is cosúil go bhfuil an leithreas an treo seo...!"

17

Gruaig Ghliobach

"Agus sin an fáth a gceapaim nár cheart go mbeadh cead ag duine ar bith faoi bhun tríocha bliain d'aois dul amach san oíche." Bhí Máthair faoi lán seoil anois agus rinne sí meangadh nuair a fuair sí bualadh bos lag ón dream a bhí os cionn tríocha sa lucht féachana. "Ba cheart dóibh uile a bheith sa leaba faoina hocht a chlog…"

"Gabh mo leithscéal as an moill," arsa Mr Lofa agus é ag teacht ar ais. "Cheap mé nach raibh le déanamh agam ach mo mhún ach, tar éis an méid sin, bhí mo chac le déanamh freisin agam."

Phléasc an lucht féachana amach ag gáire arís, agus cuid acu ag bualadh bos fiú. Bhí siad sna tríthí ag gáire faoin tramp ar an gclár an-dáiríre seo agus é ag cur síos ar na nósanna a bhí aige maidir le dul chuig an leithreas. "De ghnáth, bíonn mo chac agam ar maidin, idir 9.07 agus 9.08, ach d'ith mé ceapaire uibheacha tráthnóna roimh an gclár. An tú féin a rinne na ceapairí a Sior Diarmaid?"

"Ní dhéanaimse ceapairí, a Mr Lofa. Anois an féidir linn dul ar ais chuig an gceist faoi bheith ag dul amach san oíche-"

"Bhuel, ní hé nach raibh sé blasta," arsa Mr Lofa, "ach ag an aois a bhfuil mé cuireann uibheacha an bhuinneach orm ó am go chéile. An dtarlaíonn sé sin duitse riamh, a Sior Doireann? Nó an bhfuil tóin fir óig agatsa?"

Phléasc an lucht féachana amach ag gáire arís. Bhí Annabelle í féin ag gáire faoin tráth seo.

"Táimid anseo chun ceisteanna tromchúiseacha a phlé, a Mr Lofa," arsa Sior Daithí. Bhí a éadan dearg le fearg anois mar go raibh a chlár dáiríre polaitíochta, a bhí curtha i láthair le breis agus dhá scór bliain aige, bhí sé iompaithe isteach ina mhugadh magadh ag an tramp seo. Bhí an lucht féachana ag baint an-sásamh go deo as áfach, agus thosaigh siad á bhúáil nuair a thriail sé é a iompú ar ais i dtreo na polaitíochta. Thug sé drochshúil dóibh agus chas sé ar ais chuig réalta nua an chláir. "Agus is é Sior Daithí an t-ainm atá ormsa. Ní Sior Dónal, ná Sior Doireann, ach *Sior Daithí*. Anois, ar aghaidh chuig ceist na heaspa dídine, a Mr Lofa. Tá figiúirí anseo agam a léiríonn go bhfuil os cionn 100,000 duine gan dídean sa tír seo inniu. Cén fáth a bhfuil sé sin tarlaithe, an gceapann tú?"

Ghlan Mr Lofa a scornach. "Bhuel, más ceadmhach dom é a rá, déarfainn gur cuid den fhadhb ná go bhfeiceann daoine mar staitisticí seachas mar dhaoine muid." Fuair sé bualadh bos ón lucht féachana agus mhúscail sé spéis Sior Daithí. B'fhéidir nach raibh Mr Lofa chomh hamaideach is a cheap sé.

"Tá cúiseanna éagsúla ag daoine le bheith ar na sráideanna," a lean Mr Lofa air. "Tá scéal difriúil ag gach duine. An rud a déarfainn leis na daoine atá anseo anocht, nó iad siúd atá ag féachaint sa bhaile ná seo: b'fhéidir dá stopfadh sibh chun *labhairt* leo siúd atá gan teach gan áras, thuigfeadh sibh níos fearr dóibh."

Tháinig bualadh bos níos bríomhaire fós ón lucht féachana ach chuir Mrs Crosta a ladar sa scéal. "Sin a rinne mise!" ar sí. "Stop mise chun cainte leis an tramp seo lá amháin agus thug mé cuireadh dó teacht chun cónaí linn. Cuirimse daoine eile romham féin i gcónaí. Sin í an fhadhb atá agam," ar sí, ag claonadh a cloiginn ar leataobh agus ag féachaint ar an lucht féachana mar a bheadh aingeal as na flaithis.

"Bhuel, níl sé sin fíor, a Mrs Crosta, an bhfuil?" arsa Mr Lofa.

Bhí ciúnas iomlán ann. D'fhéach Máthair ar Mr Lofa le huafás. Bhí sceitimíní ar an lucht féachana. Chrom Daid, Chloe agus Annabelle isteach níos gaire don teilifíseán. Bhí Sior Daithí é féin ar bís.

"Céard atá i gceist agat, a chara dhil..." arsa Mrs Crosta.

"Tá a fhios agat," arsa Mr Lofa. "Ní *tusa* a thug cuireadh isteach dom."

Las súile Sior Daithí. "Cé a thug cuireadh dhuit mar sin chun fanacht le muintir Chrosta, a Mr Lofa?" ar sé agus an ghaoth ina sheolta arís.

"Iníon Mrs Crosta, Chloe. Níl sí ach dhá bhliain déag d'aois agus is iontach go deo an cailín í. Duine de na daoine is cineálta agus is croíúla dár casadh orm riamh."

D'airigh Chloe go raibh na focail sin ag damhsa ina timpeall. D'fhéach gach duine uirthi sa seomra sin a raibh na criospaí stálaithe le hithe ann. Las a leicne. Chuir sí a héadan i bhfolach ina lámha agus chuimil a daid a droim le bród. Lig Annabelle uirthi nach raibh suim dá laghad aici sa méid a bhí ráite.

"Ba cheart di teacht amach anseo mar go bhfuil moladh mór tuillte aici," arsa Mr Lofa.

"Níor cheart ar chor ar bith," arsa Máthair le fearg.

"Ceapaim, a Mrs Crosta," arsa Sior Daithí, "gur mhaith linn ar fad an cailín iontach seo a fheiceáil."

Thug an lucht féachana bualadh bos mór ach bhí Chloe greamaithe dá suíochán. Ní raibh sí in ann labhairt amach os comhair a ranga ar scoil fiú. Ní raibh sí ag iarraidh bheith os comhair na milliúin!

Céard a déarfadh sí? Céard a dhéanfadh sí? Ní raibh aon chleasa ar eolas aici. Bheadh sí náirithe ceart. Níos measa ná an t-am sin a chuir sí aníos a dinnéar ar an Máistreás Scadán sa rang Fraincise. Ach bhí an bualadh bos ag dul i dtreis agus sa deireadh thóg Daid a lámh agus tharraing sé ina seasamh í.

"An airíonn tú cúthail?" ar sé i gcogar.

Chlaon Chloe a cloigeann.

"Bhuel, níor cheart duit é. Is cailín iontach tú. Ba cheart duit bheith bródúil as a bhfuil déanta agat. Bain sásamh as do chuid ama i lár an aonaigh!"

Rith siad síos chomh fada leis an seit. Lig Daid lena lámh agus sheas sí amach os comhair na gceamaraí. Thosaigh an lucht féachana ag bualadh bos go fiáin. Rinne Mr Lofa meangadh mór léi agus rinne sí iarracht meangadh a dhéanamh ar ais leis. Ba í Máthair an t-aon duine nach raibh ag bualadh bos. Bhí Chloe ag féachaint uirthi. Ach chas a máthair a cloigeann an treo eile. Rinne sé seo Chloe níos míchompordaí ná mar a bhí sí agus rinne sí iarracht umhlú ach ní raibh sí in ann, agus ansin d'éalaigh sí ar ais chuig an seomra beag.

"Nach mór an spórt í," arsa Sior Daithí.

D'fhéach sé ar Mháthair. "Anois, caithfidh mé an cheist a chur ort, a Mrs Crosta. Cén fáth ar inis tú bréag? An ar mhaithe le do chuid pleananna polaitíochta a chur chun cinn a rinne tú é?"

D'fhéach na haíonna eile uirthi go milleánach, amhail nach gcuimhneoidís féin riamh ar bhréag a insint. Thosaigh Máthair ag cur allais. Bhí a smideadh ag leá síos a héadan. D'fhéach Daid, Chloe agus Annabelle uirthi go truamhéalach, gan iad in ann cabhrú léi.

"Bhuel, cé a bheadh ag iarraidh an seantramp sin istigh sa teach acu," a bhéic sí sa deireadh. "Féach air! Níl sibhse sa bhaile in ann an boladh a fháil, ach creid uaimse é, tá sé bréan! Tá boladh lofa salachair, allais, caca, locháin agus madra uaidh. Faraor nach n-imeodh an tramp bréan brocach sin amach i dtigh diabhail as mo theach do deo!"

Thit an lucht féachana ina dtost ar feadh

nóiméid. Ansin thosaigh an bhúáil agus d'éirigh sé níos airde agus níos airde. D'fhéach Máthair ar an lucht féachana agus scéin inti. Ar deireadh, thit a cuid gruaige go giobalach anuas ar a héadan.

18

Cacanna Coiníní

"LOFA ABÚ! LOFA ABÚ!"

D'fhéach Chloe trí bhearna sna cuirtíní. Bhí slua mór daoine taobh amuigh den teach. Tuairisceoirí nuachta, daoine le ceamaraí, agus na céadta daoine áitiúla agus píosaí móra cairtchláir acu le manaí éagsúla scríofa orthu.

Ba léir go ndeachaigh Mr Lofa go mór i

bhfeidhm ar dhaoine nuair a chonaic siad ar an teilifís é an oíche roimhe. Nóiméad amháin bhí sé ina thramp bréan gan iomrá, an chéad nóiméad eile bhí sé ina thramp bréan iomráiteach.

Chuir Chloe uirthi a cóta agus rith sí amach chuig an tseid.

"An bhfuil sé in am ag Lile casadh leis na zombaithe?" arsa Mr Lofa.

"Níl, níl, níl! Nach gcloiseann tú na sluaite taobh amuigh?!"

"Gabh mo leithscéal, ní chloisim i gceart tú," ar sé. "Fuair mé na cacanna coiníní seo sa ghairdín. Oibríonn siad iontach mar ghalláin cluaise." Tharraing sé an dá chnap beag donna amach as a chluasa agus Chloe ag féachaint air le hiontas agus le déistin ag an am céanna. Daoibhse a bhíonn amuigh faoin dúlra agus dalláin cluaise ag teastáil uaibh, féach ar an treoir seo thíos.

Bhain an Bandiúc boladh as an gcac agus í ag

Léaráid A

Léaráid B

Aimsigh coinín cairdiúil.

Fan go foighneach go ndéanfaidh sé cac.

Léaráid C

Léaráid D

Cuir an cac i do chluas. Má tá cluasa mór ort, teastóidh cac níos mó uait, nó fiú coinín níos mó.

Bíodh oíche mhaith codlata agat, d'ainneoin an boladh caca.

súil gur Maltesers a bhí iontu. Chuir sí a srón san aer nuair a thuig sí nach raibh iontu ach salachar coiníní.

"Níos fearr," arsa Mr Lofa. "Bhí brionglóid an-aisteach agam aréir, Miss Chloe. Bhí mé ar an teilifís ag caint ar chúrsaí reatha! Bhí do mháthair ann freisin! Bhí sé an-bharrúil go deo!"

"Ní brionglóid a bhí ann, Mr Lofa. Tharla sé sin."

"Ó, go dtarrthaí Dia sinn," arsa an tramp. "B'fhéidir nach raibh sé barrúil tar éis an tsaoil."

"Bhí sé an-bharrúil go deo. Ba tusa an réalta. Anois tá na céadta daoine taobh amuigh ag fanacht leat."

"Céard ó thalamh an domhain atá uathu, a chroí?"

"Tusa!" arsa Chloe. "Tá siad ag iarraidh agallamh a chur ort, ceapaim. Agus tá cuid acu ag iarraidh go mbeidh tú i do Phríomh-Aire!"

Bhí an slua ag fáil níos glóraí taobh amuigh. "LOFA ANOIS! LOFA ANOIS! LOFA ANOIS!"

"Dar m'fhocal, cloisim iad. Mise i mo Phríomh-Aire a deir tú? Ha, ha! Caithfidh mé dul ar an teilifís níos minice!"

"B'fhearr duit éirí, a Mr Lofa. Anois!"

"Ar ndóigh, a Miss Chloe. Anois, caithfidh mé slacht éigin a chur orm féin do mo lucht tacaíochta."

Bhain sé boladh as a chuid éadaí agus chuir sé strainc air féin. *Má cheapann sé féin go bhfuil boladh uathu, arsa Chloe léi féin, caithfidh go bhfuil siad an-dona go deo.*

"D'fhéadfainn iad a ní duit," arsa Chloe, go dóchasach.

"Tá sé ceart go leor, a stór. Níl na hinnill níochána sin folláin ag duine. Bainfidh an Bandiúc cuid de na spotaí salachair amach lena teanga."

Tharraing sé aníos péire bríste donn a bhí lofa, brocach. Ní fios an raibh an bríste donn an chéad lá riamh, nó donn anois le salachar. Shín sé ag an mBandiúc é agus thosaigh sí á líochán.

Ghlan Chloe a scornach. "Uth... Mr Lofa. Dúirt tú ar an gclár teilifíse go bhfuil a scéal féin ag gach duine gan dídean. Bhuel, an inseoidh tú do scéalsa dom? Céard a d'fhág gan teach, gan áras tú?"

"Cén fáth a gceapfá, a chroí?"

"Níl a fhios agam. Tá na millte teoiricí agam. B'fhéidir gur thréig do mháthair tú nuair a bhí tú i do naíonánn agus gur thóg mac tíre tú?"

"Níor thóg!" ar sé ag déanamh miongháire.

"Nó b'fhéidir gur rac-amhránaí a bhí ionat agus gur lig tú ort féin go bhfuair tú bás mar nach raibh tú in ann ag an saol sa spotsolas níos mó."

"Faraor nach ea!" arsa Mr Lofa agus miongháire aie.

"Ceart go leor mar sin, b'eolaí tú a chruthaigh an buama is contúirtí dá raibh ann riamh agus theith tú ón arm nuair a thuig tú an dochar a d'fhéadfadh sé a dhéanamh."

"Bhuel, tá samhlaíocht thar barr agat," ar sé. "Ach níl aon cheann de na tuairimí sin ceart. Níl tú i bhfoisceacht scread asail den fhírinne faraor."

"Sin a cheap mé."

"Inseoidh mé duit nuair a bheidh an t-am ceart, Chloe."

"Geall dom é."

"Geallaim duit. Anois, tabhair dom nóiméad, a stór. Caithfidh mé mé féin a réiteach do mo lucht tacaíochta!"

19

SÚPARTRAMP

"NÍ GHABHFAIDH MÉ LEITHSCÉAL LEIS!"

"CAITHFIDH TÚ!"

Bhí Mr Lofa ina shuí ag ceann an bhoird ag léamh faoi féin sna nuachtáin, fad a bhí Chloe ag réiteach ispíní dó. Bhí a tuismitheoirí ag argóint arís sa seomra béal dorais. Ní raibh i gceist go gcloisfeadh Mr Lofa iad, ach bhí a nguthanna ag ardú de réir mar a bhí siad ag éirí níos feirgí.

"ACH TÁ BOLADH BRÉAN UAIDH!"

"TÁ'S AGAM, ACH NÍ RAIBH GÁ É SIN A RÁ AR AN TEILIFÍS."

D'fhéach Chloe anonn ar Mr Lofa le cion. Bhí sé chomh tógtha le ceannlínte na nuachtán, 'Súpartramp!', 'An Bua ag Boladh Bréan!', 'Beocht curtha sa Toghchán ag Lofa', go raibh an chuma air nach raibh sé ag éisteacht. Nó b'fhéidir go raibh na cacanna coiníní curtha ar ais ina chluasa aige.

"AR nDÓIGH!" a bhéic Máthair. "GHLAOIGH AN PRÍOMH-AIRE ORM ARÉIR LE RÁ LIOM ÉIRÍ AS AN TOGHCHÁN!"

"IONTACH!"

"IONTACH, AN EA?!"

"TÁ TÚ I DO BHRÚTA AG AN bPOLAITÍOCHT!" a bhéic Daid.

"CÉARD?! NÍ BRÚTA MÉ!"

"IS BRÚTA THÚ! BRÚTA! BRÚTA! BRÚTA!"

"A LEITHÉID DE RUD LE RÁ!" a scréach

Máthair, í oibrithe ceart anois.

"GABH DO LEITHSCÉAL LEIS!"

"NÍ GHABHFAIDH!"

"DÉAN É!"

Ar feadh nóiméid ní raibh le cloisteáil ach giosáil na n-ispíní ar an bhfriochtán. Ansin, go mall, shleamhnaigh Máthair isteach sa seomra. Stop sí ar feadh soicind. Tháinig a fear isteach ina diaidh agus thug drochshúil di. Rinne sí casacht bheag dhrámatúil.

"Uth-um, a Mr Lofa?" ar sí.

"Sea, a Mrs Crosta?" a d'fhreagair sé gan a chloigeann a ardú.

"Tá brón orm."

"Tá brón ort?" ar sé.

"As an méid a dúirt mé fút ar Question Time aréir. Go bhfuil tú bréan. Bhí sé sin mímhúinte."

"Go raibh míle maith agat, Mrs…"

"Tabhair Janet orm."

"Go raibh míle maith agat, a Mrs Janet. Ghoill sé orm ceart go leor ó tharla gur maith liom a bheith glan i gcónaí. Go deimhin, bhí folcadh agam sula ndeachaigh mé ar an aer."

"Bhuel, ní *folcadh* a bhí agat, ach *lochán* i ndáiríre."

"Tá an ceart agat, is dócha. Agus más maith leat é, beidh 'lochán' eile agam an bhliain seo chugainn ionas go bhfanfaidh mé iontach glan."

"Ach níl tú glan a bhré –" a thosaigh Máthair.

"Bí go deas!" arsa Daid go tréan.

"Tar éis *Question Time* aréir," arsa Máthair le Mr Lofa, "d'iarr an Príomh-Aire orm tarraingt amach as an toghchán."

"Tá a fhios agam. Chuala mé thú á rá le d'fhear céile cúpla nóiméad ó shin."

"Ó," arsa Máthair agus an chaint bainte di, rud ab annamh léi.

"Tá na hispíní réidh!" arsa Chloe, ag iarraidh

a Máthair a shábháil óna thuilleadh náire.

"B'fhearr dom dul ag obair anois, a stór," arsa Daid. "Nó beidh mé déanach."

"Sea, sea," arsa Máthair ar nós cuma liom. Chroch sé leis cúpla píosa aráin i ngan fhios ar an mbealach amach. Chuala Chloe an doras tosaigh ag oscailt agus ag dúnadh go glórach agus ansin an rud céanna leis an doras faoin staighre, ach go ciúin.

"Níl uaim ach seacht n-ispín inniu le do thoil, a Miss Chloe," arsa Mr Lofa. "Caithfidh mé súil a choinneáil ar mo mheáchan anois ó tharla go bhfuil lucht tacaíochta agam."

"Lucht tacaíochta?" arsa Máthair agus a héad á cheilt ar éigean aici.

Bhuail an fón agus d'fhreagair Chloe é.

"Tí Chróóóóósta. Cé atá ag caint? An Príomh-Aire atá ann!"

Las éadan Máthar. "Á, bhí a fhios agam é! Bhí

a fhios agam go n-athródh mo stóirín a intinn!"

"Mar a tharlaíonn, is ag iarraidh labhairt le Mr
Lofa atá sé," arsa Chloe. Baineadh
an gáire d'éadan na máthar.

Ghlac Mr Lofa leis an
nglaoch ar nós cuma liom,
amhail is go mbíodh sé ag
caint le ceannairí an domhain
ar bhonn rialta. "Lofa anseo.
Sea? Sea? Ó sea ?"

D'fhéach Mam agus Chloe
ar a éadan agus iad ar a
míle dícheall ag iarraidh an
comhrá a dhéanamh amach.

"Sea, sea, sea. Bhuel, sea, go raibh maith agat
a Phríomh-Aire."

Leag Mr Lofa uaidh an fón agus chuaigh sé ar
ais ag léamh na nuachtán.

"Bhuel?" a d'fhiafraigh Chloe.

"Sea, bhuel?" arsa Máthair.

"Tá cuireadh chun tae faighte agam ón bPríomh-Aire," arsa Mr Lofa. "Tá sé ag iarraidh orm d'áitse a thógáil mar iarrthóir áitiúil sa toghchán, a Mrs Crosta. An bhfuil aon ispín eile agat, a Chloe?"

20

Páipéar Leithris Lofa

"Huuuurrráááááááááá!" Lig an slua liú nuair a sheas Mr Lofa ag an bhfuinneog thuas staighre. Ní raibh le déanamh aige ach a lámh a chrochadh orthu agus bhí siad ag bualadh bos dó. Zúmáil na ceamaraí ar fad isteach agus ardaíodh scata micreafón. D'ardaigh bean amháin a páiste san aer ionas go bhféadfadh sé féachaint a fháil ar an réalta nua.

Sheas Chloe cúpla céim siar ó Mr Lofa, mar a
bheadh tuismitheoir bródúil
ann. Níor thaitin sé léi
mórán bheith ar an
teilifís ná anois ar an
ardán. Bhí sí breá sásta
ligean do Mr Lofa bheith
i lár an aonaigh. Rinne Mr
Lofa comhartha chun an
slua a chiúnú. Thit tost
orthu.

"Tá óráid ghearr
scríofa agam,: a d'fhógair sé, sular thóg sé amach
páipéar leithris an-fhada go deo agus thosaigh
ag léamh uaidh.

"I dtosach báire, ba mhaith liom a rá gur mór
an onóir dom go bhfuil sibh anseo inniu."

Lig an slua liú eile astu.

"Níl ionam ach fámaire fánach. Fear siúil b'fhéidir, seachránaí cinnte, fánaí sráide fiú amháin..."

"Abair é agus ná cogain é!" arsa Máthair le nimh, taobh thiar de Chloe.

"Fuisssst!" arsa Chloe.

"Níor thuig mé ar chor ar bith go mbeadh éifeacht mar seo ag mo chuid ama ar an mbosca físe leictreach. Ní féidir liom a rá ag an bpointe seo ach go mbeidh mé ag casadh leis an bPríomh-Aire inniu chun mo thodhchaí pholaitíochta a phlé."

D'imigh an slua ar mire.

"Go raibh míle maith agaibh ar fad faoi bhur gcineáltas," ar sé mar fhocal scoir agus é ag cur an pháipéir leithris ar ais ina phóca.

"A Miss Chloe?" ar sé.

"Sea?" ar sí.

"Má táim chun bualadh leis an bPríomh-Aire,

ní mór dom athmhaisiú éigin a chur orm féin."

Ní raibh Chloe baileach cinnte céard a bhí i gceist le athmhaisiú, ach cheap sí go raibh baint ag smideadh leis. Bhí a fhios aici go raibh neart seónna ar an teilifís a bhain le hathmaisiú a chur ar dhuine, ach níor thug Máthair cead di breathnú orthu. Ní raibh smideadh ar bith ag Chloe.

D'airigh Chloe cosúil leis an lacha bheag ghránna ón seanscéal. Bhuail sí cnag ar dhoras a deirféar, féachaint an dtabharfadh Annabel smideadh ar iasacht di. Bhí cófraí lán de smideadh ag Annabelle. Smideadh a d'iarradh sí i gcónaí mar bhronntanas dá lá breithe agus don Nollaig. Níor thug rud ar bith oiread sásaimh di ná bheith ag clúdach a héadain leis le seó áilleachta dá cuid féin a dhéanamh os comhair an scátháin.

"An bhfuil sé imithe fós?" arsa Annabelle.

"Níl. Dá labhrófá leis, thuigfeá chomh deas is atá sé."

"Tá boladh bréan uaidh."

"Uaitse freisin," arsa Chloe. "Anois, tá mé ag iarraidh do chuid smididh ar iasacht."

"Cén fáth? Ní chaitheann tusa é. Ní fiú duit é mar nach bhfuil tú dathúil."

Ar feadh nóiméid, smaoinigh Chloe ar rudaí gránna gur mhaith léi tarlú d'Annabelle. Í caite isteach in abhainn le crogaill. Tréigthe sa Mhol Thuaidh gan uirthi ach a cuis fó-éadaí. Milseáin sheacláide tugtha di, gan rogha aici ach iad a ithe, go dtí go bpléascfadh sí.

"Ní domsa," ar sí. "Do Mr Lofa."

"Seans ar bith."

"Inseoidh mé do Mhama gur tusa a bhíonn ag goid a cuid brioscaí."

"Cén smideadh atá uait?" arsa Annabelle láithreach bonn.

Níos déanaí, bhí Mr Lofa ina shuí sa tseid agus na cailíní ag cur maise air.

"Níl sé iomarcach, an bhfuil?" ar sé.

Ní raibh súil ar bith ag Annabelle go mbainfeadh sí oiread sásaimh as an jab seo. Ach anois bhí sí imithe thar fóir. Bhí gealra ar a leicne, dath lonrach gorm ar a shúile agus péint ghléineach oráiste ar a ingne.

"Uth…" arsa Chloe.

"Níl, breathnaíonn tú iontach!" arsa

Annabelle agus í ag cur ribín ina chuid gruaige. "Seo an Nollaig is fearr a bhí riamh agam!"

"Nach bhfuil tusa ceaptha bheith ag casadh carúl sa séipéal?" arsa Chloe.

"Tá, ach is fuath liom é sin. B'fhearr liom bheith anseo." Smaoinigh Annabelle uirthi féin. "Bím cráite ag na ranganna agus na ceachtanna ar fad a bhíonn le déanamh agam."

"Cén fáth a ndéanann tú iad mar sin?" arsa Chloe.

"Sea, cén fáth, a stór?" arsa Mr Lofa.

Bhí an chuma ar Annabelle go raibh sí trína chéile. "Le go mbeidh Máthair sona, is dócha," ar sí.

"Ní bheidh do mháthair sona mura mbeidh tusa sona," arsa Mr Lofa go húdarásach. Bhí sé deacair féachaint ar a éadan ildaite gan gáire a dhéanamh.

"Bhuel tá mé sásta faoi láthair," arsa Annabelle

agus rinne sí gáire le Chloe den chéad uair le blianta. "Tá mé sásta bheith in éineacht leatsa."

Rinne Chloe gáire ar ais léi.

"Céard fúmsa?" arsa Mr Lofa.

"Sea cinnte!" arsa Annabelle, ag gáire. "Éiríonn tú cleachtach ar an mboladh tar éis tamaill," ar sí i gcogar le Chloe.

Go tobann thosaigh an tseid ag croitheadh go fíochmhar. D'oscail Chloe an doras agus chonaic sí héileacaptar os a cionn. Anuas leis sa ghairdín.

"Á, sea, dúirt an Príomh-Aire go bpiocfadh duine éigin suas muid," arsa Mr Lofa.

"Muid?" arsa Chloe.

"An gceapann tú go rachainn ann gan thú?"

21

Ceirtín Tais

"Cén fáth nach bhfuil tú ag teacht in éineacht linn?" a bhéic Chloe le hAnnabelle os cionn thorann an héileacaptair.

"Leatsa an lá seo, a Chloe," a bhéic a deirfiúr bheag ar ais léi. "Tusa is cúis leis seo ar fad. Ar aon nós, tá an héileacaptar sin bídeach. Bheinn plúchta leis an mboladh istigh ann…"

Rinne Chloe gáire léi agus chroith a lámh le slán a fhágáil. Suas san aer leis an héileacaptar, é ag leagan formhór na bplandaí agus na mbláthanna sa ghairdín sular imigh sé chun siúil.

Bhí gruaig Mháthar ina seasamh ar a cloigeann

de bharr an ghála a bhí cruthaithe ag lannaí
an héileacaptair agus í ar a míle dícheall í a
choinneáil faoi smacht.

Fuadaíodh Éilís an cat trasna an ghairdín.
Rinne sí gach iarracht greim a fháil ar an bhféar
lena crúba. Lig sí meamhlach aisti le faitíos ach
ní raibh aon mhaith ann. Bhí an fórsa ó na lannaí
róláidir agus caitheadh isteach sa lochán í.

Spleais!

D'fhéach an Bandiúc anuas ón héileacaptar air
agus meangadh uirthi.

Agus an héileacaptar ag ardú níos faide agus
níos faide suas san aer, chonaic Chloe a teach,
an tsráid, an baile agus iad ag éirí níos lú agus
níos lú de réir a chéile. Níorbh fhada go raibh
na sráideanna mar a bheadh línte ar mhapa ann.
Bhí sceitimíní ar Chloe. Den chéad uair ina saol,
d'airigh sí gurbh í féin a bhí i lár an aonaigh.
D'fhéach sí anonn ar Mr Lofa. Bhí sé ag tógáil

milseáin as a phóca agus á scrúdú go cúramach. Píosa taifí a bhí ann agus an chuma air go raibh sé i bpóca Mr Lofa ó na 1950idí i leith. Chuir sé ina bhéal agus ba léir ón oibriú a bhí ag a dhraid go raibh jab aige an seanmhilseán a chogaint.

Ach seachas sin, bhí cuma an-suaimhneach air, amhail is go raibh cleachtadh aige bheith ag taisteal i héileacaptar gach lá dá shaol.

Rinne Chloe meangadh leis agus chonaic sí go raibh loinnir ina shúile, loinnir álainn ghealgháireach a thabharfadh ort dearmad a dhéanamh, beagnach, faoin mboladh a bhí uaidh.

Leag Mr Lofa lámh ar ghualainn an phíolóta. "An mbeidh sibh ag cur dinnéir ar fáil ar an eitilt seo?" ar sé.

"Níl ann ach turas gairid," ar sé.

"Céard faoi chupán tae agus briosca mar sin?"

"Tá brón orm, ach ní bheidh, a dhuine uasail," ar sé go borb agus an chuma air nach raibh fonn air leanúint leis an gcomhrá.

"Is mór an trua," arsa Mr Lofa.

D'fhéach Chloe amach agus d'aithin sí Áras an Phríomh-Aire ón nuacht ar an teilifís agus ó na pholaitíochta leadránacha sin a mbíodh cead aici breathnú orthu maidin Dé Domhnaigh. Teach mór dubh a bhí ann.

Chonaic sí go raibh póilíní ina seasamh taobh amuigh ag faire agus smaoinigh sí, *dá mbeinnse i mo phóilín, b'fhearr liom an lá a chaitheamh sa tóir ar choirpigh in áit a bheith i mo sheasamh ar an tsráid agus gan le déanamh agam ach smaoineamh ar cad a bheidh agam don dinnéar.* Ach bhí sé de chiall aici an smaoineamh sin a choinneáil chuici féin. D'oscail an póilín an doras dóibh agus meangadh ar a bhéal aige.

"Suígí síos," arsa an státseirbhíseach ag an doras. Tá cleachtadh ag státseirbhísigh an Phríomh-

Aire a bheith ag cur fáilte roimh mhaithe agus mhóruaisle an domhain, ní cailín beag agus tramp a bhí clúdaithe le smideadh. "Beidh an Príomh-Aire libh gan mhoill."

Bhí siad ina seasamh i bpasáiste le héadan gach Príomh-Aire dá raibh ann riamh ag féachaint anuas orthu ó phéintéireachtaí ar na ballaí. Seanfhir a bhí iontu ar fad, agus cuma an-dáiríre ar a n-éadain, iad ag faire anuas as fráma a raibh imill órga orthu. Go tobann, d'oscail na doirse agus tháinig grúpa fear i gcultacha ina dtreo.

"A Mr Lucha, is tú atá ann!" arsa an Príomh-Aire. Ba léir gurbh eisean a bhí i gceannas mar gurbh é a bhí chun tosaigh ar an ngrúpa.

"Lofa, a Phríomh-Aire," arsa duine dá chomhairleoirí.

"Aon scéal agat, a mhac?" arsa an Príomh-Aire, é ag iarraidh tabhairt le fios gur fear cairdiúil a bhí ann, nach raibh pioc ardnósach.

Shín sé amach a lámh ghlan ach tharraing sé siar
arís í nuair a chonaic sé an chrág mhór lofa a shín
Mr Lofa ina threo. Thug sé sonc cairdiúil don
tramp ar an ngualainn agus thug sé faoi deara go
raibh gréisc ar a dhorn.

"Ceirtín tais!" ar sé go borb. "Anois!"

Anall le duine de na fir agus shín sé ceirtín ag an bPríomh-Aire. Ghlan sé a dhorn go tapa leis an gceirtín agus thug sé ar ais é chuig an bhfear a thug dó é.

"Is deas bualadh leat, a Phríomh-Aire," arsa Mr Lofa, go míchinnte.

"Dave," arsa an Príomh-Aire. "Ambaiste, tá sé níos measa ná leithreas nár glanadh le bliain," ar sé i gcogar le duine dá chomhairleoirí.

Ghoill an ráiteas ar Mr Lofa, ach níor thug an Príomh-Aire faoi deara. "Rinne tú sár-jab ar *Question Time* a chara gan dídean," ar sé. "Thar a bheith barrúil. Beidh muid in ann tú a úsáid, cinnte."

"É a *úsáid*?" arsa Chloe go hamhrasach.

"Sea, sea. Níl an feachtas seo ag dul go maith dom faoi láthair. De réir na bpobalbhreitheanna, tá mé ag cruthú…"

D'oscail duine den slua fillteán go tapa agus

bhí ciúnas fada ina measc fad a d'fhéach an Príomh-Aire air.

"Go dona."

"Sea. Go dona. *Go raibh maith agat*, Ó Liatháin," arsa an Príomh-Aire go searbhasach.

"Ó Líocháin."

"Sea, sea." Chas an Príomh-Aire ar ais i dtreo Mr Lofa. "Dá mbeadh tusa againn - tramp amach is amach - d'fhéadfá áit Mrs Crosta a thógáil agus d'éireodh go hiontach leat. Níl aon duine eile againn agus tá sé i bhfad ródhéanach le duine ceart a chuardach anois. Agus tá tú chomh barrúil sin. Beidh gach duine ag gáire fút."

"Gabh mo leithscéal?" arsa Chloe agus í an-chosantach ar a cara.

Níor thug an Príomh-Aire aon aird uirthi. "Smaoineamh iontach é! Cheapfadh an pobal go bhfuil meas ag páirtí s'againne ar dhaoine gan dídean. B'fhéidir go mbeifeá i d'Aire do Dhaoine gan Folcadh lá éigin fiú."

"Daoine gan Folcadh?" arsa Mr Lofa.

"Sea, tá's agat, daoine gan dídean."

"Ó," arsa Mr Lofa. "Agus mar Aire do Dhaoine gan Dídean, bheinn in ann cuidiú le daoine eile gan dídean?"

"Bhuel, ní bheadh," arsa an Príomh-Aire. "Ach cheapfadh gach duine go bhfuil mise iontach agus mé ag cuidiú le tramp mar thusa. Céard a déarfá a Mr Luchóga?"

Bhí cuma an-mhíshuaimhneach ar Mr Lofa. "Níl a fhios níl mé cinnte –"

"*Magadh* atá tú?" arsa an Príomh-Aire ag gáire. "Is tramp thú! Céard eile a bheadh le déanamh agat!?"

Rinne na comhairleoirí gáire freisin. Go tobann, tháinig droch-chuimhne ar ais i gcloigeann Chloe. Chuir siad na cailíní gránna ón scoil i gcuimhne di Chloe. D'fhéach Mr Lofa uirthi agus a shúile ag impí uirthi.

"A Phríomh-Aire …?" arsa Chloe.

"Sea?" ar sé agus meangadh dóchasach air.

"Sac suas i do thóin é!"

"Bhain tú na focail glan díreach amach as mo bhéal, a chroí!" arsa Mr Lofa, ag gáire. "Slán, a Phríomh-Aire, agus bíodh Nollaig mhór mhaith agaibh ar fad!"

22

Na Laethanta Órga

Níor tugadh aon chuireadh do Chloe ná do Mr Lofa taisteal abhaile sa héileacaptar. Bhí orthu dul ar an mbus.

Ó tharla gur Oíche Nollag a bhí ann, bhí an bus plódaithe le daoine agus a gcuid málaí siopadóireachta. Shuigh an bheirt acu taobh le taobh thuas an staighre ag féachaint amach ar ghéaga na gcrann ag bualadh in aghaidh na fuinneoige.

"An bhfaca tú an chuma a bhí ar a éadan nuair a dúirt tú leis é a shacadh suas ina ………?" arsa Mr Lofa.

"Ní chreidim go ndearna mé é!" arsa Chloe.

"Tá mé an-sásta go ndearna," arsa Mr Lofa. "Go raibh míle maith agat as seasamh suas dom."

"Bhuel, sheas tusa suas domsa leis an Rosamund ghránna sin!"

"'Sac suas i do thóin é!" An-dána! Bheadh rud níos mímhúinte ráite agamsa! Há há!"

Rinne an bheirt acu gáire. Tharraing sé sean-naipcín salach as a phóca chun na deora áthais a ghlanadh óna shúile. Agus é á chur ar ais ina phóca, chonaic Chloe go raibh ainm i mbróidnéireacht ar an naipcín póca

"An Tiarna Darlington?" a léigh sí.

Bhí siad ina dtost ar feadh nóiméid.

"An *tusa* atá ann?" arsa Chloe. "An tiarna thú?"

"Ní hea... ní hea ..." arsa Mr Lofa. "Níl ionamsa ach seanfhámaire. Fuair mé an naipcín ag díolachán earraí."

"Taispeáin do spúnóg dom," arsa Chloe, go cineálta.

Rinne Mr Lofa meangadh beag géilliúil. Chuir sé a lámh isteach ina phóca agus tharraing amach an spúnóg go mall. Shín sé chuig Chloe í. D'fhéach Chloe go cúramach ar an méid a bhí greanta inti. Thuig sí go raibh sí mícheart. Ní raibh trí litir ann. Ní raibh ann ach ceann amháin. Litir mhór amháin le leon ar an dá thaobh de. Litir mhór, aonair D.

"Is *tú* an Tiarna Darlington," arsa Chloe. "Taispeáin an seanghrianghraf sin dom arís."

Thóg Mr Lofa amach an grianghraf go cúramach.

D'fhéach Chloe air ar feadh cúpla soicind. Bhí sé díreach ar nós na cuimhne a bhí aici air. Bhí lánúin óg ghalánta ann agus Rolls Royce agus teach mór breá. Ach anois agus í ag breathnú go grinn air, chonaic sí go soiléir go raibh an fear sa phictiúr an-chosúil leis an seantramp a bhí ina shuí lena taobh. "Agus sin tusa sa ghrianghraf."

Choinnigh Chloe greim go cúramach ar an ngrianghraf mar gur thuig sí chomh luachmhar is a bhí sé do Mr Lofa. Agus í ag féachaint ar an bpictiúr, thug sí faoi deara go raibh an fear níos óige agus níos glaine, ach ní raibh aon amhras gurbh é Mr Lofa a bhí ann.

"Tá an cat as an mála," arsa Mr Lofa. "Sin mise, go deimhin, a Chloe. Fadó, fadó."

"Agus cé hí sin in éineacht leat?"

"Mo bhean chéile."

"Do bhean chéile?" "Ní raibh a fhios agam go raibh tú pósta."

"Ní raibh a fhios agat gur tiarna mé, ach oiread," arsa Mr Lofa.

"Agus seo é do theach mar sin, a Thiarna Darlington?" arsa Chloe, ag síneadh a méire i dtreo an ghrianghraif. Chlaon Mr Lofa a chloigeann. "Ach, cén chaoi ar tharla sé go bhfuil tú gan dídean anois?"

"Scéal fada, a stór," arsa Mr Lofa, go seachantach.

"Inis dom é," arsa Chloe. "Le do thoil? D'inis mise gach rud duitse. Bhí a fhios agam ón tús go raibh scéal suimiúil le hinsint agatsa." "Ba bhreá liom é a chloisteáil. Le do thoil."

Tharraing Mr Lofa isteach a anáil. "Bhuel, bhí mé ar mhuin na muice, a chroí. Bhí mé lofa le hairgead, bhí teach galánta agam ar thaobh an locha agus bhí gach lá ina shamhradh. Cruicéad, tae sa ghairdín agus laethanta fada órga amuigh faoin aer.

Ní hamháin sin, ach phós mé bean dhathúil, chliste, ghreannmhar, ghleoite. Grá mo chroí, Violet. Bean a raibh mé i ngrá léi ó bhí an bheirt againn an-óg."

"Tá sí go hálainn dathúil."

"Tá, go deimhin. Bhí. Gan cheist. Bhíomar chomh sona, sásta in éineacht."

Bhí gach rud ag teacht le chéile in intinn Chloe anois. An chaoi ar chaith Mr Lofa an liathróid páipéir isteach sa bhosca bruscair. An spúnóg agus an litir D air. A bhéasa boird, an bealach a shiúil sé ar an taobh amuigh den chosán, an bealach a mhaisigh sé an tseid. Bhí sé *thar a bheith* ardnósach.

"Go gairid tar éis gur tógadh an grianghraf sin, fuaireamar amach go raibh Violet ag iompar," arsa Mr Lofa. "Bhí mé thar a bheith sásta. Ach oíche amháin nuair a bhí mo bhean ocht mí torrach, thug mo thiománaí go Londain sa Rolls Royce mé chun bualadh le grúpa seanchairde scoile. Bhí dinnéar againn i gclub do dhaoine ardnósacha. Go gairid roimh an Nollaig mar a tharlaíonn. Bhí mé thar a bheith leithleach. Chaith mé an oíche ag ól, ag seanchas agus ag caitheamh tobac…"

"Cén chaoi a raibh tú leithleach?" arsa Chloe.

"Ba cheart dom bheith fanta sa bhaile. Tháinig sé ina stoirm an oíche úd agus bhí an turas abhaile an-fhada. Bhí sé ina mhaidin nuair a shroich mé an baile agus bhí an teach trí thine…"

"Ó, ná habair!" arsa Chloe agus í amhrasach ar theastaigh uaithi an chuid eile den scéal a chloisteáil.

"Caithfidh sé gur thit píosa guail amach as an tine sa seomra codlata agus gur las an brat urláir. Rith mé amach as an Rolls Royce an tí, mé ag troid leis na fir dhóiteáin le go ligfeadh siad isteach sa teach mé. Ach ní ligfeadh.

Rinne siad a ndícheall í a tharrtháil ach thit an díon isteach agus ní raibh seans ag Violet."

"Go sábhála Dia sinn!" arsa Chloe.

Líon súile an traimp le deora. Ní raibh a fhios ag Chloe céard a dhéanfadh sí. Rud nua ina saol ab ea déileáil le daoine agus iad ag cur a gcuid mothúchán in iúl. Leag sí a lámh go cineálta ar a lámh siúd agus thosaigh sé ag caoineadh. Bhí sé ar crith le brón agus na blianta de phian ag sileadh amach ina dheora.

"Faraor nár fhan mé sa bhaile an oíche sin. D'fhéadfainn í a shábháil. Bheinn lena taobh agus bheadh sí compordach. Bhraithfeadh sí teolaí le mo thaobh agus slán sábháilte. Ní theastódh aon tine uaithi. Ó mo ghrá geal, mo stóirín, Violet." D'fháisc Chloe a lámh.

"Ní ortsa atá an milleán."

"Ba cheart go mbeinn sa bhaile. Ba cheart go mbeinn ann…"

"Timpiste a bhí ann," arsa Chloe. "Caithfidh tú é a mhaitheamh duit féin."

"Ní mhaithfidh mé go deo dom féin é."

"Is fear maith thú, a Mr Lofa. Timpiste tragóideach a bhí ann."

"Go raibh maith agat, a stór. Níor cheart dom a bheith ag caoineadh ar bhus poiblí."

"Ach," arsa Chloe, "céard a d'fhág gan dídean thú?"

"Bhuel, bhí mo chroí briste. Bhí mo bhean agus mo pháiste caillte agam. Rinne mé iarracht dul ar ais chuig an teach tar éis na sochraide. Thriail mé socrú isteach i sciathán amháin den teach nár déanadh an oiread sin damáiste dó oíche an dóiteáin. Ach bhí oiread cuimhní pianmhara agam san áit nach raibh mé in ann codladh na hoíche a fháil ann. Thagadh an tromluí uafásach céanna ar ais arís is arís. D'fheicfinn a héadan trí na lasracha. B'éigean dom imeacht ón áit. Lá amháin, thosaigh mé ag siúl agus níor fhill mé riamh."

"Tá an-bhrón orm," arsa Chloe. "Dá mbeadh a fhios ag daoine…"

"Mar a dúirt mé ar an ngléas físe, tá a scéal féin ag gach duine gan dídean," arsa Mr Lofa. "Sin é mo cheannsa. Tá brón orm nach mbaineann sé le foghlaithe mara ná spiairí ná carachtair spéisiúla den sórt sin. Ach ní mar sin atá an fíorshaol, is baolach. Ní raibh sé i gceist agam cur as duit."

"Caithfidh go mbíonn an Nollaig crua ort," arsa Chloe.

"Cinnte, bíonn. Am den bhliain nuair a chuirtear an méid atá caillte agam i gcuimhne dom."

Stop an bus agus shiúil siad in uillinn a chéile chomh fada leis an teach. Bhí Chloe buíoch go raibh an slua tacaíochta agus na ceamaraí agus na hiriseoirí ar fad imithe. Caithfidh go raibh scéal nua sa nuacht anois.

"Faraor nach bhfuil mé in ann gach rud a chur ina cheart duit," arsa Chloe.

"Ach tá sé sin déanta agat, a Miss Chloe. Chuir tú meangadh ar m'éadan arís. Dá mbeadh mo pháiste cosúil leatsa, bheinn thar a bheith bródúil aisti."

Chuaigh an ráiteas sin go croí in Chloe. "Bhuel," ar sí, "bheifeá i d'athair iontach."

"Go raibh maith agat, a stór, tá tú an-chineálta."

Ag an nóiméad sin, d'fhéach Chloe ar an teach agus thuig sí nach raibh sí ag iarraidh dul isteach ann go dtí a Máthair uafásach, ná ar ais chuig an scoil ghránna sin. Lean siad orthu ag siúl i dtreo an tí agus iad ina dtost. Ansin, thóg Chloe anáil mhór isteach agus chas sí i dtreo Mr Lofa.

"Níl mé ag iarraidh dul abhaile," ar sí. "Tá mé ag iarraidh dul ag fámaireacht in éineacht leatsa."

23

Fear Sneachta Plaisteach

"Tá brón orm, a Miss Chloe, ach ní féidir leat teacht liomsa," arsa Mr Lofa agus iad ina seasamh os comhair an tí.

"Cén fáth?" arsa Chloe.

"Míle is céad fáth!"

"Tabhair dom ceann amháin."

"Tá sé rófhuar."

"Ní miste liom an fuacht."

"Bhuel," arsa Mr Lofa, "tá na sráideanna róchontúirteach do chailín óg."

"Tá mé beagnach trí bliana déag!"

"Ní féidir leat imeacht ón scoil."

"Is fuath liom an scoil," arsa Chloe. "Le do thoil, a Mr Lofa. Tá mé ag iarraidh dul in éineacht leatsa agus leis an mBandiúc. Tá mé ag iarraidh a bheith i m'fhámaire fánach."

"Ní mór duit smaoineamh i gceart air seo, a stóirín," arsa Mr Lofa. "Céard a cheapfaidh do mháthair?" arsa Mr Lofa.

"Is cuma liom," arsa Chloe go borb. "Is fuath liom í."

"Dúirt mé leat cheana, ná habair é sin."

"Ach tá sé fíor."

Lig Mr Lofa osna. "Tá d'intinn déanta suas agat mar sin?"

"Céad faoin gcéad!"

"Bhuel, b'fhearr liom labhairt le do mháthair mar sin."

Rinne Chloe meangadh. Bhí sé seo thar-a-bheith-iontach-amach-is-amach. Bheadh sí saor faoi dheireadh. Deireadh le dul a chodladh luath.

Deireadh le hobair bhaile. Deireadh le gúnaí gránna a chuir cuma milseán Quality Street uirthi. Bhí Chloe ar bís. Ní raibh sceitimíní mar seo uirthi riamh cheana. Bhí sí chun an domhan a shiúl le Mr Lofa, ag ithe ispíní ó mhaidin go hoíche, ag folmhú amach siopaí caifé leis an mboladh bréan a bheadh uathu agus á ní féin i locháin anois is arís.

"Go raibh míle maith agat, a Mr Lofa," ar sí, ag cur a heochair sa doras don uair dheireanach.

Agus í ina seomra ag caitheamh a cuid éadaí isteach i mála, bhí Chloe in ann guthanna a chloisteáil sa chistin thíos an staighre. *Beidh Máthair ar nós cuma liom*, arsa Chloe léi féin. *Níl uaithi siúd ach Annabelle ar aon nós.*

D'fhéach Chloe ar a seomra beag bándearg. Aisteach go leor, anois agus í ag fágáil, d'airigh sí beagán brónach bheith ag imeacht ón áit.

D'aireodh sí uaithi Daid, ar ndóigh, agus Annabelle, agus fiú Éilís an cat. Ach bhí saol nua roimpi anois. Saol nua lán eachtraí agus mistéir. Saol lán scéalta a chumfadh sí faoi vaimpírí agus zombaithe. Saol lán de bhrúchtanna lofa isteach san éadan ar bhulaithe gránna.

Ansin bhí cnag éadrom ar an doras. "Tá mé ag teacht, a Mr Lofa!" arsa Chloe, í beagnach réidh le mála beag taistil a phacáil.

D'oscail an doras go mall agus baineadh siar as Chloe nuair a chas sí thart.

Ní hé Mr Lofa a bhí ann.

Ba í Máthair a bhí ina seasamh sa doras. Bhí a súile dearg ó bheith ag caoineadh. Bhí fear sneachta plaisteach ar crochadh os cionn a cloiginn.

"A Chloe, a stóirín," ar sí ag plobaireacht. "Tá Mr Lofa tar éis a rá liom go bhfuil tú ag iarraidh imeacht ón mbaile. Impím ort, ná himigh."

Ní fhaca Chloe a máthair chomh brónach riamh ina saol. Go tobann, d'airigh sí ciontach. "Cheap, uth, cheap mé gur chuma leat," ar sí.

"Bheadh mo chroí briste." Thosaigh Máthair ag caoineadh go hard. Ní fhaca Chloe í mar seo

riamh cheana. Cheap sí go raibh sí ag féachaint ar dhuine eile ar fad.

"Céard a dúirt Mr Lofa leat?" ar sí.

"Thug sé íde béil dom," arsa Máthair. "Dúirt sé go raibh tú anan-mhíshona sa bhaile. Gur cheart domsa iarracht níos fearr a dhéanamh mar mháthair. Gur chaill sé a chlann féin agus go bhféadfadh an rud céanna tarlú domsa. Tá mé náirithe. Tá a fhios agam nach mbíonn muid ar aon fhocal an t-am ar fad, ach tá grá mór agam duit, a Chloe. I ndáiríre."

Bhí uafás ar Chloe. Cheap sí go raibh Mr Lofa ag iarraidh ar Mháthair cead a thabhairt do Chloe imeacht ag fánaíocht leis. Ach bhí sé tar éis Máthair a chur ag caoineadh. Bhí sí ar mire leis. Níorbh é seo an plean ar chor ar bith!

Ag an nóiméad sin, tháinig Mr Lofa chuig an doras taobh thiar de Mháthair.

"Tá brón orm, a Chloe," ar sé. "Maith dom é

le do thoil."

"Cén fáth a ndúirt tú an méid a dúirt?" ar sí go feargach. "Cheap mé go raibh muid chun an domhan a shiúl in éineacht."

Rinne Mr Lofa meangadh cineálta. "B'fhéidir go ndéanfaidh tú é sin leat féin lá éigin," ar sé. "Ach, glac uaimse é, teastaíonn do mhuintir uait faoi láthair. Dhéanfainnse rud ar bith ach mo theaghlach a bheith ar ais agam. Rud ar bith."

Bhí an chuma ar Mháthair go raibh sí chun titim as a seasamh. Shuigh sí ar leaba Chloe agus í ag caoineadh. Chlúdaigh sí a héadan lena lámha. D'fhéach Chloe ar Mr Lofa ar feadh i bhfad. Bhí a fhios aici ina croí istigh go raibh an ceart aige.

"Cinnte maithim duit é," ar sí ar deireadh agus las a shúile arís.

Shuigh sí síos le taobh a máthar agus chuir sí

a lámh timpeall uirthi.

"Agus tá grá agamsa duitse freisin, a Mham. Grá mór."

24

Uchaí Uchaí Uchaí

Oíche Nollag a bhí ann agus bhí sé déanach go maith. Thíos, sa seomra codlata, bhí Daid ag dul thart agus bosca daite stáin ina lámha aige. Chuir sé an bosca faoi shrón Mr Lofa.

"Briosca, a Mr Lofa?" ar sé.

Bhí ualach acu ite ag Daid cheana féin mar go raibh sé stiúgtha leis an ocras tar éis an lá a bheith caite aige faoin staighre agus gan aige ach cúpla píosa aráin. Chaith Mr Lofa súil ar na brioscaí. Chuir sé strainc mhíshásta air féin.

"An bhfuil aon cheann bog agat?" ar sé. "B'fhéidir le caonach liath air?"

"Ní dóigh liom é," arsa Daid.

"Tá mé togha mar sin," arsa Mr Lofa. Chuimil sé cloigeann an Bhandiúic a bhí ina suí ar a ghlúine agus í ag tabhairt an drochshúil trasna an tseomra d'Éilís. Bhí an cat i dtuáille ar ghlúine Annabelle, a tharrtháil as an lochán í.

"Ná bac leis na brioscaí," arsa Annabelle. "Ach abair linn an méid seo – céard a dúirt tú le tairiscint an Phríomh-Aire?"

"Dúirt Chloe leis é a shacadh suas ina-"

"Dúirt muid nach raibh aon suim againn ann," arsa Chloe go tapa. "B'fhéidir go bhfuil seans agat fós, a Mhaim."

"Níl sé uaim anois," arsa Mam. "Tar éis gur náirigh mé mé féin ar an teilifís."

"Ach anois agus aithne agat ar Mr Lofa agus tuiscint agat ar na dúshláin a bhíonn le sárú ag a leithéid, d'fhéadfá an saol a fheabhsú do dhaoine," a mhol Chloe.

"Bhuel, b'fhéidir ag an gcéad toghchán eile," arsa Máthair. "Ach beidh mo pholasaithe le hathrú agam. Go háirithe an ceann faoi dhaoine gan dídean. Tá an-aiféala orm go raibh mé mícheart."

"Agus an ceann faoi na daoine dífhostaithe, nach é, a Dhaid?" arsa Chloe.

"Céard é seo?" arsa Máthair.

"Go raibh maith agat, a Chloe," arsa Daid go searbhasach. "Bhuel, ní raibh mé ag iarraidh é a rá leat ach tá an mhonarcha ar tí dúnadh agus b'éigean dóibh scaoileadh leis an gcuid is mó againn."

"Tá tú...?" arsa Máthair le hiontas.

"Dífhostaithe, sea. Nó 'leadaí gan mhaitheas' mar a déarfá féin. Bhí an oiread faitís orm é a rá leat go raibh mé i bhfolach faoin staighre sa spás faoin staighre le mí anuas."

"Céard atá i gceist agat go raibh faitíos ort? Tá

grá agam duit agus is cuma liom nach bhfuil post agat sa mhonarcha bréan sin."

Chuir Daid a lámh timpeall uirthi agus thug sí póg dó. D'fhan siad mar sin ar feadh tamaill agus d'fhéach Chloe agus Annabelle orthu le meascán de bhród agus náire. Do thuismitheoirí ag tabhairt póigín dá chéile. Go deas ach cineál uchaí. Iad ag leanacht ar aghaidh ag pógadh a chéile os do chomhair amach. Uchaí uchaí uchaí.

"Rachainn ar ais i mbun rac-cheoil ach gur dhóigh tú mo ghiotár i dtine chnámh!" ar sé ag gáire.

"Ná déan!" arsa Mam. "Airím chomh dona faoi sin. Thit mé i ngrá leat an nóiméad a chonaic mé ar stáitse tú. Sin an fáth ar phós mé thú. Ach ghoill sé go mór orm nuair nár éirigh le d'albam. Cheap mé go raibh mé ag cuidiú leat bogadh ar aghaidh le do shaol, ach tuigim anois gurb amhlaidh a mhill mé do bhrionglóid. Agus níl mé ag iarraidh an botún céanna a dhéanamh arís."

D'éirigh sí agus d'oscail sí an cófra ina mbíodh a cuid brioscaí i bhfolach aici. "Tá anbhrón orm gur stróic mé do scéal, a Chloe." Thóg sí amach an cóipleabhar mata agus bhí na píosaí ar fad greamaithe le chéile go cúramach aici. Bhí deora fós ag lonradh ina súile. Shín sí an cóipleabhar deisithe chuig Chloe. "Bhí go leor ama machnaimh agam tar éis *Question Time*," ar sí. "Thóg mé é seo amach as an mbruscar agus léigh mé é. Tá sé iontach, a Chloe."

Thóg Chloe an cóipleabhar uaithi agus meangadh uirthi. "Geallaim duit go ndéanfaidh mé iarracht níos fearr anois le mo chuid mata, a Mhaim."

"Go raibh maith agat, a Chloe. Agus tá rud éigin agam duitse freisin, a ghrá," arsa Mam le Daid. Tharraing sí amach bronntanas a bhí istigh faoin gcrann. Bhí sé clúdaithe go hálainn le páipéar daite. Cuma neamhghnách a bhí ar mar bhronntanas, é díreach ar aon chruth le giotár leictreach.

25

Drualus Leathair Dubh

"Tá drualas leathair dubh agam an Nollaig seo,
    Seo duit póg a chuirfidh tochas ar do
chraiceann bog …"

Bhí Daid ag léim anonn is anall sa seomra suí
agus é ag canadh ceann dá sheanamhráin go
bríomhar lena ghiotár nua. Ba léir go raibh sé
ag baint an-sásamh as. Bhí an chuma air go
raibh a chuid gruaige fásta ar ais fiú. Bhí Mam,
Chloe, Annabelle agus Mr Lofa ina suí ar an
tolg ag bualadh bos. Bhí Éilís agus an Bandiúc
fáiscthe isteach ina chéile agus iad ag claonadh

a gcloigeann leis an gceol. Níor thaitin an rac-
cheol le Mr Lofa agus bhí na cacanna coiníní
curtha ar ais ina chluasa aige i ngan fhios do gach
duine eile.

"Sea, íosfaidh mé do cháca deas,
Is tabharfaidh mé dhuit bronntanas !"

Chríochnaigh an t-amhrán le gleadhradh ar an ngiotár agus chuaigh liú suas ón slua beag dá lucht tacaíochta.

"Go raibh maith agaibh, a Pháirc an Chrócaigh. B'in ar ndóigh 'Cuileann Leathair Dubh' a bhí ag uimhir 98 sna cairteanna. Anois, an chéad cheann eile…"

"Tá mé ag ceapadh gurb in do dhóthain anocht," arsa Mam, amhail is go raibh aiféala cheana féin uirthi faoin mbronntanas a thug sí dó. D'fhéach sí ar Chloe agus dúirt, "Níl tú fós ag iarraidh imeacht, an bhfuil?"

"Níl, ná baol orm. Is í seo an Nollaig is fearr a bhí riamh agam."

"Ó, iontach!" arsa Mam. "Nach breá an rud é go bhfuil muid uilig in éineacht."

"Ach…" arsa Chloe. "Tá rud amháin uaim."

"Abair é."

"Ba mhaith liom dá mbogfadh Mr Lofa isteach i gceart."

"Céard?" arsa Mam le huafás.

"An-smaoineamh," arsa Daid. "Is breá linn do chuideachta, a Mr Lofa."

"Sea, nach cuid den teaghlach anois thú," arsa Annabelle.

"Bhuel, is dócha go bhféadfadh sé fanacht sa tseid tamaillín eile…" arsa Mam go drogallach.

"Ní sa tseid. Sa teach a bhí i gceist agam," arsa Chloe.

"Cinnte," arsa Daid.

"Bheadh sé sin iontach!" arsa Annabelle.

"Bhuel, uth, um, ó…" Bhí cuma trína chéile ar Mham. "Tá mé thar a bheith buíoch as an méid atá déanta aige dúinn, ach ní dóigh liom go mbeadh sé compordach anseo. Ní shamhlaím go raibh sé i dteach chomh deas seo riamh…"

"Mar a tharlaíonn sé, bhíodh cónaí ar Mr Lofa i dteach mór galánta," arsa Chloe le gliondar.

"Céard? Mar shearbhónta?" arsa Mam.

"Ní hea, ba é a theach féin a bhí ann. Is tiarna é i ndáiríre."

"Tiarna? An bhfuil sé sin fíor, a Mr Lofa?"

"Tá, a Mrs Cróóóóóóóósta."

"Seachránaí staidiúil! Bhuel, athraíonn sé sin gach rud!" a d'fhógair Mam agus bród uirthi duine chomh hardnósach seo a bheith sa teach aici. "A fhir chéile, bain na clúdaigh plaisteacha de na cathaoireacha. Annabelle, tóg amach poirceallán! Agus má theastaíonn uait an leithreas thíos staighre a úsáid, a Thiarna Lofa, tá an eochair agam anseo."

"Go raibh maith agat, ach tá mé ceart faoi láthair. Ó, fan nóiméad…"

D'fhéach siad uilig ar Mr Lofa. B'fhada le Chloe, Annabelle agus Daid go bhfeicfidís an leithreas thíos staighre nach raibh feicthe riamh acu ó tharla nach raibh aon chead acu dul isteach ann.

"Ó, ní raibh ann ach broim."

Lean Mam uirthi ag clabaireacht cainte. "Agus... agus... agus do sheomra codlata, a Thiarna uasal! Codlóidh mé féin ar an tolg agus bheadh m'fhear céile breá sásta dul amach sa tseid."

"Céard sa -?" arsa Daid.

"Impím ort, le do thoil, fan in éineacht linne," arsa Chloe.

D'fhan Mr Lofa ina thost ar feadh nóiméid. Thosaigh an cupán ag croitheadh ina lámh agus tháinig deora lena shúile.

D'fhéach an Bandiúc aníos air agus leag Chloe a lámh ar a lámh siúd.

D'fháisc sé lámh Chloe, gan focal a rá. D'fháisc sé a lámh chomh teann sin go raibh a fhios aici go raibh sé chun imeacht.

"A leithéid de chineáltas. Go raibh maith agaibh. Go raibh maith agaibh ar fad. Ach, faraor, caithfidh mé diúltú don tairiscint."

"Fan linn le haghaidh Lá Nollag ar a laghad," a d'impigh Annabelle.

"Le do thoil…?" arsa Chloe.

"Tá brón orm," arsa Mr Lofa. "Ach ní féidir liom."

"Ach cén fáth?" arsa Chloe.

"Tá mo chuid oibre críochnaithe anseo agam. Agus is fánaí mé," arsa Mr Lofa. "Tá sé in am dom an bóthar a bhualadh."

"Ach tá muid ag iarraidh go mbeidh tú sábháilte agus compordach anseo linne," arsa Chloe. Bhí deora ag sileadh síos a héadan anois. Ghlan Annabelle deora a deirféar lena muinchille.

"Tá brón orm, a Miss Chloe. Caithfidh mé

imeacht. Ná bí ag caoineadh. Slán libh ar fad agus go raibh maith agaibh." Chuir Mr Lofa síos a chupán agus chuaigh i dtreo an dorais. "Tar uait, a Bhandiúic," ar sé. "Tá sé in am dúinne bheith ag bualadh bóthair."

26

Réalta Bheag

D'imigh sé leis le solas na gealaí. Bhí an ghealach lán an oíche sin agus cuma álainn uirthi amhail is gur phéinteáil duine éigin í agus chroch sa spéir í. Ní raibh aon sneachta ann. Ní bhíonn faoi Nollaig, ach amháin ar na cártaí. Bhí an tsráid fliuch áfach agus bhí scáil na gealaí le feiceáil sna locháin. Bhí na tithe ar fad brataithe le maisiúcháin Nollag. Bhí an chuma orthu go raibh siad in iomaíocht leis an ngealach agus leis na réaltaí ar a mbealach beag féin. Ní raibh le cloisteáil ach coiscéimeanna rithimiúla Mr Lofa agus é ag bailiú leis, an Bhandiúc ar a shála.

D'fhéach Chloe ina dhiaidh ón bhfuinneog thuas staighre. Leag sí a lámh ar an ngloine fhuar. Nuair a d'imigh sé as amharc, chaith sí í féin siar ar a leaba.

Ansin, ina luí ansin, smaoinigh sí ar chúis go bhfeicfeadh sí arís é.

"*Lile agus na Zombaithe!*" a bhéic sí agus í ag rith síos an tsráid ina dhiaidh.

"A Miss Chloe?" arsa Mr Lofa, ag casadh thart.

"Bhí mé ag smaoineamh ar dhara eachtra Lile agus ba bhreá liom é a insint duit anois!"

"Scríobh síos dom é, a stór."

"Scríobh síos é?" arsa Chloe.

"Sea," arsa Mr Lofa. "Lá éigin, siúlfaidh mé isteach i siopa leabhar agus beidh d'ainm ar na clúdaigh. Tá bua faoi leith agat, a Chloe."

"An *bhfuil*?" Níor cheap Chloe go raibh bua ar bith aici.

"Tá. Gheobhaidh tú luach lá éigin ar an am sin ar fad a chaith tú leat féin i do sheomra. Tá samhlaíocht iontach agat, a stór. Bua den scoth. Roinn leis an domhan é."

"Go raibh maith agat, a Mr Lofa," arsa Chloe go cúthaileach.

"Táim sásta gur tháinig tú i mo dhiaidh," arsa Mr Lofa. "Bhí dearmad déanta agam go bhfuil rud éigin agam duit."

"Domsa?"

"Sea, chruinnigh mé mo shóinseáil ar fad agus cheannaigh mé bronntanas Nollag duit. Tá sé an-speisialta go deo."

Amach as a mhála tharraing Mr Lofa pacáiste i gclúdach donn. Shín sé chuig Chloe é agus d'oscail sí go fonnmhar é. Tharraing sí amach bosca stáiseanóireachta Teenage Mutant Ninja Turtles.

"Rud éigin toirtís karate do dhéagóirí atá ann.

Cheap mé go dtaitneodh sé leat. Ní raibh ach ceann amháin acu fágtha ag Raj."

"I ndáiríre?" arsa Chloe agus meangadh uirthi. "Seo an bronntanas is fearr a fuair mé riamh." Níorbh aon bhréag í sin. Ba mhór an rud di gur chaith Mr Lofa gach pingin dá raibh aige chun é a cheannach di. "Beidh sé agam go deo, geallaim duit."

"Go raibh maith agat," arsa Mr Lofa.

"Agus thug tú an bronntanas is fearr riamh do mo theaghlach ar fad. Thug tú le chéile muid."

"Bhuel, ní mise amháin ba chúis leis sin!" ar sé le meangadh air. "Anois, ní mór duit filleadh, a Chloe. Tá sé fuar agus tá báisteach ar an mbealach."

"Ní maith liom go mbeidh tú ag codladh amuigh," ar sí. "Go háirithe ar oíche fhliuch mar seo."

Rinne Mr Lofa meangadh. "Is maith liom

a bheith taobh amuigh. Ar oíche ár bpósta, thaispeáin Violet an réalta ba mhó sa spéir dom. An bhfeiceann tú thuas ansin í?"

Shín sé a mhéar i dtreo na spéire.

"Feicim," arsa Chloe.

"Bhuel, an oíche sin, dúirt sí liom go mbeadh grá aici dom fad a bheadh an réalta sin sa spéir. Mar sin, gach oíche, sula dtéim a chodladh féachaim ar an réalta sin agus smaoiním uirthise. Nuair a fheicim an réalta sin, feicim ise."

"Tá sé sin go hálainn," arsa Chloe agus tocht ina glór.

"Níl mo bhean chéile imithe. Feicim gach oíche i mo bhrionglóidí í. Anois téigh abhaile. Agus ná bíodh aon imní ort fúmsa, Miss Chloe. Tá an Bandiúc agus mo réalta agam."

"Ach aireoidh mé uaim thú," arsa Chloe.

Rinne Mr Lofa meangadh agus shín a mhéar i dtreo na spéire.

"An bhfeiceann tú réalta Violet?" ar sé.

Chlaon Chloe a cloigeann.

"An bhfeiceann tú an réalta bheag fúithi?"

"Feicim," arsa Chloe.

"Bhuel, is cailín an-speisialta tusa," arsa Mr Lofa. "Agus nuair a fheicfidh mé an réalta sin, smaoineoidh mé ortsa."

D'ardaigh croí Chloe. "Go raibh maith agat," ar sí. "Agus nuair a fheicfidh mise í, smaoineoidh me ortsa."

Rug sí barróg mhór air agus níor theastaigh uaithi ligean leis. D'fhan sé gan corraí ar feadh tamaill agus ansin scaoil sé léi. "Caithfidh mé imeacht anois. Tá m'anam míshuaimhneach agus caithfidh mé dul ag fámaireacht. Slán, a Miss Chloe."

"Slán, a Mr Lofa."

D'imigh an fámaire leis síos an bóthar. D'fhéach sí air ag imeacht as amharc, go dtí go

raibh sí fágtha léi féin i gciúnas na hoíche.

Níos déanaí an oíche sin, shuigh Chloe aisti féin ar a leaba. Bhí Mr Lofa imithe. Go deo seans. Ach bhí a bholadh fós léi. Bheadh a bholadh léi go deo.

D'oscail sí a cóipleabhar mata agus thosaigh sí ag scríobh na chéad fhocail dá scéal nua.

Bhí Mr Lofa lofa…

Ar fáil i nGaeilge chomh maith ó Futa Fata

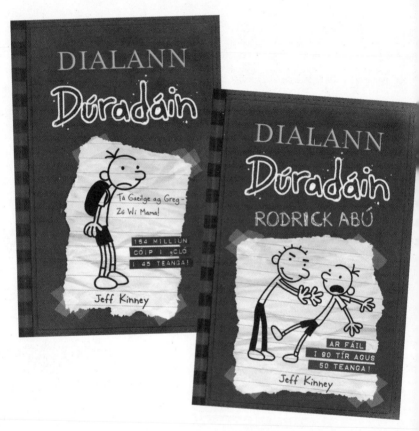

"Níl aon cheist ach gur éirigh le Máirín Ní Mhárta
an greann agus an t-imeartas focal a thabhairt
slán ina leagan saibhir, soléite"

Gobblefunked.com

DIALANN
Dúradáin
BARR AR AN DONAS

AR FÁIL
I 90 TÍR AGU[S]
52 TEANGA

Jeff Kinney

NUA

DIALANN
Dúradáin
LEADAÍ NA LEISCE

200 MILLIÚN
LEABHAR I gCLÓ
AR FUD NA CRUINNE

Jeff Kinney